BYZANCE

ET LA

PRIMAUTÉ ROMAINE

Unam Sanctam

49

FRANÇOIS DVORNIK

*Professeur d'Histoire byzantine
à Dumbarton Oaks, Harvard University*

BYZANCE
ET LA
PRIMAUTÉ ROMAINE

LES ÉDITIONS DU CERF, Bd DE LATOUR-MAUBOURG, PARIS

1964

NIHIL OBSTAT :
Paris, le 25 janvier 1964
P. VERGRIETE, O.P.

IMPRIMATUR :
Paris, le 31 janvier 1964
J. HOTTOT
vic. gén.

AVANT-PROPOS

Dans mes dernières publications en anglais j'ai étudié quelques problèmes concernant l'organisation de l'Église primitive et les idées qui inspiraient les Pères des premiers conciles qui sanctionnèrent cette organisation.

On m'a demandé de présenter à un public plus large les résultats auxquels je suis arrivé, et de montrer à quel point ces idées ont influencé le développement de la Primauté romaine. En obéissant à cette invitation je me suis borné à préciser uniquement les faits les plus saillants et à citer les déclarations les plus autorisées qui révèlent la réponse que l'idée de la Primauté a trouvée dans l'Église byzantine aux différentes époques de son histoire. Il n'était naturellement pas dans mon intention de traiter l'aspect théologique de cette question.

Certains faits mentionnés dans cette étude sont généralement connus, mais la présentation de ces événements dans un cadre nouveau permettra peut-être de jeter un peu plus de lumière sur ces problèmes.

Je remercie les Éditions du Cerf d'avoir accepté la publication de ce travail. Je me sens particulièrement obligé à l'égard du R. Père Vergriete, o.p., qui a bien voulu revoir mon manuscrit du point de vue de la langue et qui m'a très généreusement aidé dans la correction des épreuves. Je lui en exprime toute ma reconnaissance.

Dumbarton Oaks, Washington, D.C.
le 19 mars 1964.
F. D.

INTRODUCTION

Différences entre l'Orient et l'Occident. — La question du
Filioque. — Questions ecclésiologiques.

On peut dire à juste titre qu'aujourd'hui le seul
obstacle sérieux au rapprochement des Églises Orthodoxes et de l'Église catholique est la question de la
Primauté romaine. Les autres obstacles, en particulier
les différences rituelles et liturgiques, qui ont joué un
si grand rôle dans la littérature polémique grecque et
latine du xiᵉ au xvᵉ siècle, peuvent être considérés
comme surmontés.

A partir du xiiiᵉ siècle l'Église romaine a commencé
à perdre son attitude de méfiance à l'égard de l'existence
des différents rites et de l'usage des langues nationales
dans la liturgie. Les nombreuses tentatives d'union
avec les Grecs, que le souvenir de la prise de Constantinople par les Latins en 1204 ne pouvait que rendre
inefficaces, avaient néanmoins un effet salutaire, car
elles obligeaient le monde latin à se montrer de plus
en plus conciliant, du moins en ce qui concerne l'existence
de rites différents et l'usage des langues nationales
dans la liturgie. Les unions partielles conclues avec
quelques branches de l'Orthodoxie après les conciles
de Lyon (1274) et de Florence (1439) ont permis à
cette tendance de se généraliser.

Le mouvement liturgique actuel, qui a eu des effets
si salutaires dans l'Église catholique, va contribuer non
seulement à liquider les dernières méfiances, en montrant
la nécessité pour le peuple de participer activement aux
actes liturgiques, mais permettra aussi de faire mieux

comprendre la mentalité de la chrétienté orientale qui n'a jamais cessé de souligner l'importance du sacrifice eucharistique dans la vie du chrétien, avant toute autre dévotion publique ou privée.

Dans le domaine dogmatique, la question de savoir si le Saint-Esprit procède à la fois du Père et du Fils — le *Filioque* — a également perdu beaucoup de son acuité, depuis que le souci de déceler à tout prix l'hérésie chez les Latins ou chez les Grecs, si marqué pendant les siècles de controverse entre les deux parties, a perdu son caractère passionné, surtout après la chute de l'Empire byzantin.

L'histoire montre d'ailleurs clairement que ce sont d'autres raisons que des raisons théologiques qui ont contribué à donner à cette controverse des proportions démesurées. A ce sujet il est intéressant de noter qu'au début de cette discussion, on considérait, semble-t-il, en Occident, cette question de façon plus détachée.

Un curieux document du ixe siècle semble, pour le moins, l'indiquer. Nous le devons à Anastase le Bibliothécaire, adversaire acharné du patriarche Photius qui avait rallumé la controverse autour du *Filioque*. Parmi les ouvrages d'Anastase on trouve une traduction de différents documents relatifs à l'histoire de l'Église, dédiée à un diacre, Jean Hymmonidès. Anastase y a inséré un extrait d'une lettre de S. Maxime le Confesseur (580-662) sur la procession du Saint-Esprit. Dans son introduction à la traduction de ces documents Anastase écrit [1] : « Nous avons (également) traduit le passage d'une lettre du même S. Maxime au prêtre Marin, concernant la procession du Saint-Esprit. Dans ce passage il dit que les Grecs s'insurgent inutilement contre nous, puisque nous ne disons nullement, comme ils le prétendent, que le Fils est la cause et le principe du Saint-Esprit. Au contraire, ne voulant pas négliger

---

1. Cf. l'édition des Préfaces d'Anastase, dans les *Monumenta Germaniae historica*, Epistolae, vol. 7, p. 425. Voir aussi *P.L.*, 129, col. 560. Pour la traduction du passage de la lettre de Maxime, voir *ibid.*, col. 577. Cf. S. MAXIME, *Opuscula theologica et polemica ad Marinum*, *P.G.*, 91, col. 136.

l'unité de substance du Père et du Fils, nous disons que
le Saint-Esprit, de même qu'il procède du Père, procède
aussi du Fils, entendant cette procession comme une
mission. Maxime exhorte ceux qui connaissent les deux
langues à faire la paix. Il dit que les Grecs et nous
entendons que le Saint-Esprit procède, en un sens, du
Fils, mais que, en un autre sens, il n'en procède pas.
Il attire l'attention sur le fait qu'il est difficile d'expri-
mer cette propriété tant dans une langue que dans
l'autre. »

Il se peut que des raisons linguistiques aient contribué
à donner à cette controverse une plus grande ampleur.
Le mot « ἐκ » semble vouloir dire en effet, pour un Grec,
davantage que le mot « ex » pour un Latin [1]. En tout
cas il est intéressant de constater qu'Anastase lui-même
s'efforçait d'expliquer de façon irénique cette divergence dans l'opinion théologique grecque et latine.
Il écrivait son commentaire en 874, quelques années
après que Photius eût donné à cette controverse latente
une signification nouvelle dans son appel aux patriarches
orientaux et au synode de 867 [2].

On a l'impression que le pape Jean VIII voyait
plutôt là une discussion entre théologiens sur un sujet
qui n'avait pas encore été défini comme article de foi.
C'est dans ce sens que nous pouvons également expliquer
l'attitude de ses légats au concile de 879-880, confirmant
l'union contre Byzance et Rome. Puisque à Rome on
récitait alors le *Credo* sans *Filioque*, il leur paraissait
naturel de se déclarer contre cette addition dans la
Profession de foi de Nicée.

Il est d'ailleurs surprenant de constater que cette
controverse, malgré l'effort de Photius, dans sa *Mystagogie*, pour donner à la thèse grecque une base théolo-

---

1. Cf. ce qu'E. HERMANN dit de cette divergence dans *Orientalia Christiana
pe iodica*, vol. 15 (1949), pp. 221-222 : « Nel rispondere a tal quesito, non si
potrà però ignorare che i teologi ammettono oggi che il domma latino facilmente
doverà sonar falso agli orecchi dei Greci :l'ἐκ greco non risponde del tutto
al « ex » latino. »
2. Il semble que Photius lui-même soupçonnait un problème linguistique,
dans la controverse. Cela apparaît dans un passage de sa *Mystagogia* (*P.G.*, 102,
col. 376 AB).

gique solide, a joué un rôle peu important dans les polémiques qui eurent lieu entre les deux Églises en 1054 et immédiatement après la rupture avec le patriarche Michel Cérulaire.

Dans sa fameuse lettre adressée, sur la demande du patriarche Michel Cérulaire, à l'archevêque latin de Trani [1], l'archevêque d'Ochrida, Léon, ne souffle pas mot de cette divergence dans les doctrines des deux Églises. Dans cette lettre qui déclencha une longue suite de discussions amères, Léon se borne à attaquer quelques innocentes coutumes des Latins, s'en prenant surtout à l'usage du pain azyme dans la célébration du sacrifice de la messe.

C'est le cardinal Humbert, invité par le pape Léon IX à réfuter les accusations portées par les Grecs, qui introduisit ce sujet dans la polémique, en reprochant aux Grecs d'avoir supprimé le *Filioque* dans le Symbole de Nicée [2]. Cette accusation, qui révèle une grande ignorance des origines de la controverse — ce ne sont pas en effet les Grecs qui ont supprimé le *Filioque*, mais les Latins qui l'ont introduit —, montre aussi que cette différence théologique ne constituait pas encore la raison la plus sérieuse du désaccord entre les deux Églises. Ce n'est qu'à partir du xiie siècle que le *Filioque* devint l'arme la plus offensive dans l'arsenal des polémistes grecs et latins.

Ce fut d'ailleurs encore un prélat latin qui rouvrit la controverse sur le *Filioque*. L'archevêque de Milan, Pierre Grossolanus, membre non officiel [3] d'une ambassade envoyée en 1112 par le pape Pascal II à Constantinople pour la conclusion d'un accord avec l'empereur Alexis Ier Comnène, entama la discussion avec le clergé grec, notamment sur le *Filioque*. Sept théologiens

---

1. *P.G.*, 120, col. 836 ss.
2. *P.L.*, 143, col. 1003 (dans sa bulle d'excommunication du patriarche).
3. Se basant sur les indications fournies par un des sept théologiens grecs, Nicétas Seidès, V. GRUMEL a montré que Pierre n'était pas membre officiel de l'ambassade, mais qu'il avait été requis par le pape pour prêter son concours aux légats. Grossolanus faisait à ce moment un pèlerinage à Jérusalem (« Autour du voyage de Pierre Grossolanus, archevêque de Milan, à Constantinople en 1112 », dans *Échos d'Orient*, 32 (1933), pp. 28-30).

byzantins furent invités par l'empereur à répondre
à ses arguments [1]. Euthyme Zigabène s'empressa de
fournir à ses compatriotes — dans sa *Panoplie dogmatique* [2] — de nombreux arguments contre le *Filioque*,
tirés, pour la plupart, des écrits de Photius.

En 1135 c'est un autre prélat latin, Anselme, évêque
de Havelberg, qui, à Constantinople, discuta sur le
Filioque avec Nicétas de Nicomédie, le premier des
douze professeurs de l'Académie patriarcale. Anselme
a décrit ce débat dans un ouvrage dédié au pape
Eugène III [3].

Ces deux débats furent plutôt académiques, chacune
des parties gardant évidemment ses positions. Les deux
prélats parlèrent en termes fort courtois, évitant tout
ce qui aurait pu offenser les Grecs. Nicétas de Nicomédie garda, lui aussi, une grande réserve dans les
réponses polies qu'il fit à Anselme.

La seconde phase de ces discussions et controverses
fut ouverte, après 1204, par les Latins victorieux à
Constantinople, et, du côté des Grecs, en 1213, par
Nicolas Mésaritès notamment [4]. Mais, au ton que pren-
nent les écrits de cette époque, on peut voir que la
controverse, qui était restée jusque-là plutôt académique
entre les théologiens des deux parties, était devenue
une affaire politique et nationale. Cela est fort compré-
hensible, si l'on songe à la réaction violente des Grecs
contre les Latins, destructeurs de leur Empire. Dans
cette atmosphère orageuse on ne pouvait plus s'attendre
à ce que soit discuté dans le calme un problème théologique qui était devenu une affaire politique.

Mais aujourd'hui, après tant de siècles, le temps est
venu où les théologiens orthodoxes et catholiques

---

1. V. Grumel les a identifiés. C'étaient Eustrate de Nicée, Jean Phournès,
Nicétas Seidès, Nicolas Muzalon, Théodore Smyrnaios, Théodore Prodrome,
Euthyme Zigabène. Cf. B. LEIB, *Rome, Kiev et Byzance à la fin du XIe siècle*,
Paris, 1924, p. 312. Voir le discours de Grossolanus dans *P.G.*, 127, col. 911-920.
2. *P.G.*, 130, col. 20-1360.
3. *Anselmi Dialogi*, *P.L.*, 188, col. 1130 ss. Cf. Fr. DVORNIK, *Le schisme de
Photius*, Paris, éd. du Cerf, 1950, pp. 469, 535.
4. Voir plus loin, p. 143.

peuvent étudier ce problème sans parti pris [1]. N'oublions pas toutefois que nous touchons ici au mystère de la Sainte Trinité devant lequel l'intelligence humaine doit s'incliner et confesser son incompétence.

*
* *

On croit souvent que l'éloignement des deux Églises a été causé également par la conception différente que l'on avait de l'Église et de son rôle à Byzance et en Occident. L'ecclésiologie est une branche nouvelle sur l'arbre de la théologie chrétienne et s'est surtout développée depuis la Réforme. A l'heure actuelle l'intérêt des théologiens catholiques, orthodoxes et protestants, se concentre de plus en plus sur les problèmes ecclésiologiques [2]. Différentes définitions de l'Église sont proposées et discutées, sa relation avec le corps mystique du Christ est étudiée, son évolution organique est expliquée à la lumière des définitions proposées [3].

On pouvait s'attendre à ce que les spécialistes de cette nouvelle discipline théologique s'efforcent de chercher confirmation à leurs théories dans les écrits des Pères

---

1. Voir à ce sujet les études sur le *Filioque* par des théologiens catholiques et orthodoxes dans *Russie et Chrétienté* (1950), pp. 123-244. Cf. aussi l'article de J. MEYENDORFF sur l'origine de cette controverse dans *Pravoslavnaja Mysl*, Paris, 1953, pp. 114-137, et l'étude de V. LOSSKY, *La procession du Saint-Esprit dans la doctrine trinitaire orthodoxe*, Paris, 1948.

2. Cf. l'article de O. SEMMELROTH, « Ekklesiologie », dans *Lexikon für Theologie und Kirche*, vol. 3, Freiburg, 1959, où l'on trouvera une courte histoire de l'ecclésiologie et d'utiles indications bibliographiques. Pour de plus amples informations, voir les comptes rendus des conférences données au « Colloque d'ecclésiologie », organisé par la Faculté de Théologie catholique de l'Université de Strasbourg du 26 au 28 novembre 1959, publiés dans la *Revue des sciences religieuses*, 34 (1960), et dans la collection « Unam Sanctam », nº 34, éd. du Cerf, sous le titre *L'Ecclésiologie au XIXᵉ siècle*.

3. Voir surtout l'ouvrage de S. JAKI, *Les tendances nouvelles de l'ecclésiologie* (Rome, 1957, Bibliotheca Academiae catholicae Hungaricae, Sectio phil.-theol., vol. 3). L'ecclésiologie Orthodoxe récente y est examinée dans les pages 99 et ss. L'auteur montre à quel point ces tendances nouvelles ont été influencées par la théologie protestante et par quelques éléments philosophiques non chrétiens.

Le même sujet est traité par Paul EVDOKIMOV dans *L'Ecclésiologie au XIXᵉ siècle, op. cit.*, pp. 57-76, sous le titre : « Les principaux courants de l'ecclésiologie Orthodoxe au XIXᵉ siècle ». Cf. aussi la conférence du Père B.-D. DUPUY, « Schisme et Primauté chez J. A. Möhler », *ibid.*, pp. 197-231, et les remarques faites par P. Evdokimov au cours de la discussion, *ibid.*, pp. 375-392.

et dans l'organisation de l'Église primitive [1]. Mais ces efforts peuvent conduire à de dangereuses déviations si l'on se met à transposer les idées nouvellement formulées à des époques où, en réalité, elles n'existaient pas, et si l'on cherche à interpréter les textes patristiques dans le sens de ces idées.

Ce danger existe encore quand on veut essayer de reconstituer le système ecclésiologique que l'on suppose avoir existé dans l'Église byzantine. Or il faut savoir que les théologiens byzantins n'ont pas développé à proprement parler de système ecclésiologique. Ils avaient d'autres problèmes à résoudre, plus urgents et plus essentiels, concernant la nature divine des trois Personnes de la Trinité, l'incarnation de la seconde Personne, la double nature du Verbe incarné, la double volonté du Christ Dieu et homme, la procession du Saint-Esprit et sa participation dans la sanctification des hommes. Ces problèmes dominent toute la spéculation théologique à Byzance jusqu'au IXe siècle ; en effet, même la question de la représentation du Christ et la vénération de son image et de celle des saints sont liées aux mystères christologiques.

En ce qui concerne les notions sur l'Église, les Byzantins se sont contentés de ce que l'Écriture Sainte [2] et les Pères orientaux leur avaient transmis. L'Église « est la cité sainte qui a été sanctifiée... en devenant conforme au Christ et en participant à la nature divine par la communication du Saint-Esprit ». Cette définition donnée par Cyrille d'Alexandrie [3] leur suffisait pleinement. Dans la conception des Byzantins l'Église est dès lors le corps mystique du Christ, l'image de la Trinité,

---

1. Par exemple : L. CERFAUX, *La théologie de l'Église suivant saint Paul*, Paris, 2ᵉ éd., 1948 ; K. ADAM, *Der Kirchenbegriff Tertullians*, Paderborn, 1907 ; L. BOUYER, *L'Incarnation et l'Église Corps du Christ dans la théologie de saint Athanase*, Paris, 1943 ; G. BARDY, *La théologie de l'Église, de saint Clément de Rome à saint Irénée*, Paris, 1945 ; IDEM, *La théologie de l'Église de saint Irénée*, Paris, 1947 ; A. HAMEL, *Kirche bei Hippolyt von Rom*, Gütersloh, 1951. Du côté Orthodoxe : N. ANASTASSIEFF, « La doctrine de la Primauté à la lumière de l'ecclésiologie », dans *Istina*, 1957, pp. 401-420.
2. Surtout l'Épître aux Éphésiens, 1, 17-23.
3. *In Isaiam*, V, 1, c. 52, § 1 ; *P.G.*, 70, col. 1144 C.

l'œuvre du Saint-Esprit, et son but est la sanctification des hommes. L'homme, en union avec l'Église, corps mystique du Christ, doit se sanctifier, avec l'aide de la grâce du Saint-Esprit que les mérites du Verbe incarné assure à l'humanité, il doit « diviniser », pour ainsi dire, sa nature, réaliser l'union avec Dieu. Cette union ne sera sans doute parfaite que dans le siècle futur, mais l'homme dispose cependant de tous les moyens nécessaires pour atteindre, dès sa vie terrestre, un haut degré de sanctification.

Les moyens nécessaires pour parvenir à ce but se trouvent dans l'Église qui les distribue à tous par l'intermédiaire de son sacerdoce : ce sont les sacrements, surtout celui du corps et du sang du Seigneur. C'est ce sacrement qui réalise le mieux l'union de notre nature avec le Christ. La communion n'unit pas seulement le chrétien au Christ, elle l'unit aussi à tous les membres de l'Église, représentant ainsi la catholicité et l'universalité de l'Église.

Cette conception de l'Église, on le voit, trouve plutôt son fondement dans la christologie et la pneumatologie. Cela s'explique en raison de l'évolution qu'a suivie la doctrine chrétienne au cours des neuf premiers siècles et où l'Église orientale a joué le premier rôle.

On comprend aussi que cette conception ait subi, momentanément, l'influence des différentes hérésies christologiques, Nestorianisme, Monophysisme et Monothélisme. Mais, toutes ces déviations ayant été redressées par les théologiens orthodoxes, la conception primitive l'emporta [1]. Cette conception orientale de l'Église, bien que davantage empreinte d'esprit mystique, est identique à celle de l'Occident.

---

1. Cela a été esquissé par V. Lossky dans son *Essai sur la théologie mystique de l'Église d'Orient* (Aubier, 1944), pp. 171-192. Pour le point de vue catholique, voir Y.-M.-J. Congar, « Conscience ecclésiastique en Orient et en Occident », dans *Istina* (1959), pp. 189-201 ; cf. aussi un bref paragraphe dans son étude « Neuf cents ans après », dans *L'Église et les Églises* (Chevetogne, 1954), t. I, pp. 61-74. V. Lossky (*ibid.*, p. 172) reprochait à Y. Congar d'avoir trop souligné, dans son ouvrage *Chrétiens désunis* (Paris, 1937), p. 14, l'aspect mystérieux de l'ecclésiologie orientale et de n'avoir pas assez prêté attention à son aspect terrestre. Cependant, dans l'étude citée ci-dessus, le P. Congar n'a nullement négligé cet aspect.

Mais, à côté de cet aspect plus mystique ou céleste, l'Église, même pour les Byzantins, avait un aspect terrestre. Elle possédait une structure hiérarchique, elle était un organisme concret, régi par des lois votées par les assemblées d'évêques, elle avait à s'accommoder de la situation politique qui variait et de la structure sociale des communautés où vivaient ses fidèles et où travaillaient ses prêtres. Ces conditions de vie, en Orient, étaient souvent différentes de celles de l'Occident, et ces différences suscitèrent des problèmes qui semblent avoir eu une influence sur la conception du rôle que l'Église devait jouer dans la société et sur l'attitude qu'elle devait avoir vis-à-vis de l'autorité politique. Tout cela eut une répercussion sur les relations qui existaient entre les deux Églises, et provoqua un éloignement qui s'accentua, pour se terminer, hélas ! dans un schisme.

Il serait cependant exagéré, et même erroné, de vouloir chercher l'explication de ces divergences dans une ecclésiologie qui, du IVe au XIe siècle, se serait développée de façon différente à Byzance et en Occident. Dans la ligne qui leur était propre, les Byzantins ont continué à souligner le caractère mystique de l'Église et son rôle dans la sanctification des fidèles. Les Pères grecs, S. Athanase, S. Chrysostome, S. Cyrille d'Alexandrie sont demeurés les maîtres à penser. Leurs idées furent reprises et développées, notamment par S. Maxime le Confesseur († 662) [1] et S. Germain [2], et enseignées à Byzance jusqu'à la fin de l'Empire [3].

---

1. Notamment dans sa *Mystagogie*, chap. 1-5 ; *P.G.*, 91, col. 663-673, 705. S. Maxime voit dans l'Église l'image de Dieu, mais aussi l'image du monde et de l'homme. Le monde est composé de différentes parties, l'homme est composé du corps et de l'âme. Maxime a ici en vue les deux aspects de l'Église, l'aspect mystique et l'aspect terrestre. L'Église est comme un temple où les fidèles occupent une place dans l'édifice différente de celle des prêtres. L'Église représente l'unité du monde et de l'univers qu'elle doit sanctifier par la communication du Saint-Esprit. Sur la doctrine de S. Maxime, voir l'article de V. GRUMEL, dans le *Dictionnaire de théologie catholique*, vol. 10, pp. 453 ss. S. Maxime, naturellement, s'intéressait essentiellement aux problèmes christologiques et sotériologiques. Il ne touchait aux problèmes ecclésiologiques qu'en passant.
2. Surtout dans son ouvrage *Historia eccles. et mystica contemplatio*, *P.G.*, 98, col. 383 ss.
3. Cf., par exemple, les idées de Photius sur l'Église. Pour lui aussi, l'Église est l'Épouse du Christ, son Corps mystique ; c'est le Christ, sa Tête, qui la dirige.

Les différences qui se manifestent, à Byzance et en Occident, dans la conception de l'Église en son aspect terrestre, les différences qui se remarquent aussi dans l'évolution de l'organisation des deux Églises sont dues au fait que les deux portions de la chrétienté se sont développées dans des conditions politiques et sociales différentes. La seule philosophie politique que les Byzantins connaissaient était fondée sur le système politique hellénistique que les premiers idéologistes chrétiens, Clément d'Alexandrie et Eusèbe, avaient adapté à la doctrine chrétienne. Ce système, que l'on peut appeler Hellénisme chrétien, voyait dans l'Empereur le représentant de Dieu sur la terre, presqu'un vice-gérant du Christ. Selon cette conception politique, l'Empereur chrétien avait non seulement le droit mais le devoir de surveiller l'Église, de défendre la foi ortho-doxe et de mener ses sujets à Dieu. C'est de ce point de vue qu'il faut juger le développement de la chrétienté orientale et ses idées sur les relations de l'Église de la terre avec le pouvoir civil [1].

Cette idéologie était reçue dans toute la chrétienté, mais l'Église romaine avait pu échapper aux consé-quences néfastes de l'abus du pouvoir impérial grâce au fait que les empereurs ne résidaient pas à Rome, grâce aussi aux transformations profondes que l'éta-blissement de nations nouvelles dans la partie occi-dentale de l'Empire romain avait provoquées.

Si l'on étudie, de ce point de vue, l'évolution de la Chrétienté en Orient et en Occident, de nombreux problèmes s'éclaircissent. On comprend la position que l'Empereur chrétien occupa dans l'Église entière après la conversion de Constantin le Grand, position qu'on ne peut identifier avec le césaro-papisme. On comprend

---

Mais d'un autre côté il n'oublie pas non plus l'aspect terrestre de l'Église, sa structure hiérarchique, ses droits de juridiction sur les fidèles. Voir la docu-mentation dans Th. SPÁČIL, *Conceptus et doctrina de Ecclesia juxta theologiam Orientalis separati*, dans *Orientalia Christiana*, 2 (1923), pp. 36-37.

1. Le système politique hellénistique et son adaptation à la doctrine chrétienne seront étudiés en détail dans mon livre *Early Christian and Byzantine Political Philosophy, Origins and Background*, actuellement sous presse (Dumbarton Oaks Studies, vol. 9).

aussi les différences qui existaient entre les deux mondes chrétiens, différences qui devaient aller s'accentuant quand l'Église de Rome put se débarrasser graduellement des derniers vestiges de l'Hellénisme chrétien et développer son propre système politique, qui donnait au pape la position qui lui revenait dans l'Église et soulignait l'idée de l'universalité, mais qui défendait aussi la thèse de la supériorité du pouvoir spirituel sur le pouvoir temporel, thèse que l'Orient ne put jamais comprendre.

La conséquence de cette évolution devait également se faire sentir dans le domaine législatif. Alors que dans l'Église byzantine l'Empereur continuait à légiférer, usant du droit que l'Hellénisme chrétien lui conférait, en Occident c'était le Souverain Pontife qui, progressivement, devenait le seul légiférant dans l'Église. Pour expliquer ces différences, le théologien peut être tenté de chercher des raisons d'ordre ecclésiologique, mais l'historien hésitera toujours à le suivre [1]. Les Byzantins n'avaient pas la mentalité ecclésiologique des théologiens modernes.

Il serait erroné de croire que les théologiens byzantins se contentaient de considérer uniquement l'aspect mystique et céleste de l'Église. Pour eux, l'Église était aussi une institution terrestre, comprenant non seulement tous les fidèles, mais ayant aussi une hiérarchie bien organisée qui devait régir les fidèles et garder la vraie foi. Concernant cet aspect terrestre de l'Église et son organisation, il y avait deux problèmes qui préoccupaient les penseurs byzantins. Le premier était la position de l'Empereur dans l'Église. L'ingérence des empereurs dans le domaine dogmatique révélait le danger qu'une fausse application des principes de l'Hellé-

---

1. Y.-M.-J. CONGAR, dans son étude *Conscience ecclésiologique...*, citée plus haut, est le premier à avoir essayé de jeter un peu plus de lumière sur les problèmes ecclésiologiques des deux Églises. Dans la première partie de cette intéressante étude, il a fort bien esquissé l'aspect plus mystérieux que prend l'Église dans la mentalité orientale et byzantine. Par ailleurs, en voulant illustrer le procès de la séparation (pp. 201 et ss.), il lui a fallu aussi relever des faits qui résultent d'événements et d'idées qui appartiennent davantage à l'ordre politique qu'à l'ordre religieux.

nisme chrétien pouvait présenter pour la hiérarchie et les fidèles. Ce danger provoqua des réactions violentes et suscita le désir de trouver un élément assez puissant pour contrecarrer ces abus et garantir les privilèges de la hiérarchie dans la définition de la doctrine. Cet élément existait : c'était la primauté de l'évêque de Rome, chef incontesté de toutes les Églises chrétiennes en Occident. En temps de crise on s'en souvenait à Byzance, on réclamait et on attendait le secours de l'évêque de Rome, mais on se méfiait aussi de son prestige croissant et on lui refusait le droit d'intervenir directement dans les affaires intérieures de l'Église byzantine. A Byzance, le problème de la primauté romaine était par ailleurs intimement lié à celui du pouvoir impérial. C'est à ce problème de la primauté que nous voulons consacrer cette brève étude.

CHAPITRE PREMIER

LA PRIMAUTÉ
ET LE PRINCIPE D'ACCOMMODEMENT
DANS L'ORGANISATION POLITIQUE
DE L'EMPIRE

Problèmes posés par les écrits polémiques. — Les Apôtres et le principe d'accommodement. — Le Concile de Nicée et les Métropolitains. — Organisation supramétropolitaine. — Le Principe d'accommodement en Occident.

Le problème de la Primauté romaine semble aujourd'hui devenu plus difficile encore à résoudre aux yeux des Orthodoxes et des autres Églises, car on l'identifie souvent dans ces milieux à la centralisation administrative qui s'est développée en Occident au cours des derniers siècles. On oublie cependant que c'est aussi, parmi d'autres causes, le fait que d'importants groupes chrétiens se soient séparés du centre qui a rendu cette centralisation possible et même nécessaire.

De plus, au cours de la période pendant laquelle les Grecs et les Latins se livraient à des polémiques acerbes et acharnées, des théories virent le jour qui contribuèrent à obscurcir l'essentiel du problème et à rendre sa solution plus difficile encore. Le pape avait-il jamais été considéré en Orient comme occupant, dans l'Église, une position plus élevée que les autres patriarches ou évêques ? La fondation de Constantinople — la nouvelle Rome — ne devait-elle pas être expliquée comme le transfert de la primauté de l'Église de Rome à Constantinople ? Le titre de patriarche œcuménique, que prenaient les

évêques de la nouvelle capitale de l'Empire, ne confir-
mait-il pas cette interprétation ? Les Byzantins n'a-
vaient-ils pas, pour mieux appuyer leurs prétentions,
inventé la légende de l'origine apostolique du siège de
Byzance, fondé par S. André, le frère de S. Pierre ? Et
puisque André avait été un des premiers parmi les
Apôtres, puisqu'il avait suivi le Seigneur avant Pierre,
ne devait-il pas être considéré, lui et ses successeurs à
Constantinople, comme supérieur à Pierre et à ses
successeurs à Rome ?

Les polémistes qui défendaient ces idées et d'autres
aspects de la Primauté, et ceux qui les combattaient,
ne pouvaient obtenir gain de cause, pas plus d'un côté
que de l'autre. La méfiance et même l'hostilité réciproques, causées par les divisions politiques, par l'évolution différente qui, dans l'administration de l'Église
d'Occident, commençait à se manifester surtout depuis
le XIe siècle, ont envenimé les discussions et ont empêché,
de part et d'autre, les théologiens et les fidèles de considérer ce problème sans dommages.

Il est donc parfaitement inutile de reprendre les
arguments pour ou contre, qui se trouvent dans les
écrits polémiques. Essayons plutôt une autre méthode,
si souvent oubliée, la méthode historique. Elle va nous
conduire à examiner, d'après les documents qui ont
été conservés, quelle a été la position de Byzance à
l'égard de la Primauté de Rome, et cela depuis la fondation de l'Empire byzantin jusqu'à l'époque de la séparation des Églises. Peut-être aussi va-t-elle nous aider
à découvrir des traces de la Tradition primitive jusque
dans la période envenimée par la méfiance et l'hostilité
réciproques, et même nous ouvrir une voie qui pourrait déboucher sur un résultat plus positif.

En ce qui concerne la tradition pétrinienne, il est
important de souligner que l'Église d'Orient n'a jamais
nié le fait que S. Pierre ait demeuré à Rome, qu'il y soit
mort martyr, et que son corps y reposât. On sait que la
première preuve de ce fait, preuve qui ne peut être
contestée ni expliquée différemment — il y en a d'autres
moins explicites — nous vient de l'Orient : c'est la

lettre de Denys, évêque de Corinthe, envoyée à Rome aux environs de 180 [1]. S. Irénée, dont le témoignage est également précieux, est lui aussi un Oriental [2].

Ce n'est là sans doute qu'un argument « ex silentio ». Il est cependant important et reste corroboré par le fait qu'aucune des nombreuses villes d'Orient qui reçurent la visite de S. Pierre, selon les Actes des Apôtres, originaux ou apocryphes, n'a jamais osé prétendre que le chef des Apôtres avait terminé sa vie dans ses murs, ni qu'elle possédait ses reliques. Cet honneur était incontestablement réservé à la ville de Rome. Et cela explique pourquoi les Églises d'Orient n'ont jamais disputé à Rome le prestige qui lui revenait du fait que le chef des Apôtres y avait résidé et y avait été enseveli.

Mais, jusqu'au IVe siècle, les évêques de Rome n'avaient jamais eu besoin de souligner ce fait. Ils avaient, en effet, un autre titre qui leur assurait la première place dans la hiérarchie. C'est que leur siège était en même temps la résidence de l'empereur et la capitale de l'Empire romain : raison qui était alors respectée dans toute la chrétienté, car l'Église, dès les premiers jours de son existence, s'était conformée, pour organiser son administration, à la division politique de l'Empire romain [3].

Ce fait important est souvent négligé par les historiens de l'Église qui sont enclins à y voir plutôt une anomalie et une dégradation de la tradition apostolique dans l'Église. Pourtant, ce principe d'accommodement à la division politique de l'Empire a été introduit par les Apôtres eux-mêmes. Il y avait à cela des raisons pratiques. Les Apôtres ne pouvaient commencer leur prédi-

---

1. Cf. EUSÈBE DE CÉSARÉE, *Histoire Ecclésiastique*, livre II, chap. 25, *P.G.*, 20, col. 209. Voir trad. franç. par G. Bardy, coll. « Sources Chrétiennes », n° 31, p. 93.

2. IRÉNÉE, *Adv. Haereses*, III, 3, 2. Voir trad. franç. par P. Sagnard, coll. « Sources Chrétiennes », n° 34, p. 102. Pour d'autres témoignages, voir G. GLEZ, « Primauté du pape », dans *Dictionnaire de théologie catholique*, t. XIII, Paris, 1936, col. 262 ss.

3. Pour une étude plus détaillée de cette question, voir le premier chapitre de mon livre *The Idea of Apostolicity in Byzantium and the Legend of the Apostle Andrew*, Cambridge, Mass. 1958, pp. 3-39. (The guiding principle in the Evolution of Church Organization). Consulter la bibliographie.

cation que dans les grandes villes de l'Empire où se
trouvaient d'importantes communautés juives. Même
lorsqu'ils s'adressaient aux communautés chrétiennes
fondées par eux, ils devaient encore s'adapter à l'organisation politique existante. C'est ainsi que Pierre
écrivait aux communautés des provinces de Galatie,
du Pont, de Cappadoce, d'Asie et de Bithynie. Paul
s'adressait aux centres chrétiens et envoyait ses lettres
dans les capitales des provinces romaines, à Rome,
— capitale de la province d'Italie —, à Éphèse — capitale de la province d'Asie —, à Corinthe — capitale
de l'Achaïe —, à Thessalonique — capitale de la Macédoine —, etc. Dans sa deuxième épître aux Corinthiens
(2 Cor., 1, 1), Paul indique clairement que ses lettres
devaient être envoyées, par les évêques résidents dans
les capitales, aux communautés des autres cités de la
province.

De même la lettre communiquant les décisions du
Premier Concile (Act., 15, 22-23) a été envoyée à Antioche, pour la Syrie et la Cilicie. Antioche était la capitale de la Syrie. La Cilicie était alors une unité administrative indépendante. On sait aussi que S. Ignace,
évêque d'Antioche, écrivait, dans sa lettre aux Romains
(2, 2), qu'il était évêque de toute la province de Syrie,
dont la capitale était Antioche.

Cela ne veut pas dire, naturellement, que les Apôtres
avaient conféré, aux évêques siégeant dans les capitales
des provinces, un rang spécial, supérieur à celui des
autres évêques des mêmes provinces. Mais, comme
toute la vie économique, sociale et politique des provinces de l'Empire romain était centralisée dans leurs
capitales, il est bien naturel que les évêques de ces villes
aient été petit à petit considérés comme les plus importants dans la hiérarchie de la province.

Le fait devenait particulièrement manifeste quand il
s'avérait nécessaire, pour les évêques d'une province,
de se réunir pour délibérer sur des questions concernant
leurs Églises. Ils se réunissaient naturellement dans les
capitales des provinces, et c'étaient les évêques de ces
villes qui prenaient l'initiative des réunions et diri-

geaient les débats. C'est de cette façon que s'étaient
organisés les conciles régionaux. Les lettres de S. Cyprien,
où il décrit les conciles africains qui se tenaient dans
la ville de son siège, à Carthage, la capitale de l'Afrique,
nous apprennent que cet accommodement à l'administration politique allait plus loin encore. Ses descriptions
nous font voir, en effet, que les évêques, dans leurs
délibérations, suivaient le protocole qui réglait les
séances du Sénat romain et que suivaient aussi les
magistrats provinciaux dans les réunions de leur diète [1].

Autre remarque importante : quelques évêchés seulement, parmi les capitales provinciales, étaient d'origine apostolique, Éphèse par exemple, capitale de la
province d'Asie, Corinthe, capitale de l'Achaïe, et
Thessalonique, capitale de la Macédoine. Cela montre
que ce n'est pas l'origine apostolique qui a joué un rôle
déterminant dans l'organisation de l'Église primitive.
Ce qui dominait, c'était le principe d'accommodement
à l'organisation politique de l'Empire. Le titre même
que portaient les évêques des capitales le montre. On les
appelait « métropolitains » parce qu'ils résidaient dans
les « métropoles » *(metropoleis)*, capitales des provinces.
C'est ainsi qu'il devint naturel pour les évêques des
capitales de s'octroyer le droit de surveiller les autres
évêques de leurs districts politiques, suivant en cela
la pratique des magistrats de la capitale dont la juridiction s'étendait sur toute la province.

*
* *

Cet usage dans l'administration ecclésiastique a été
formellement sanctionné par le premier Concile œcuménique, celui de Nicée (325). Dans le canon IV il a
été décrété par les Pères du Concile [2] : « Chaque nouvel
évêque devra être installé par l'ensemble des évêques
résidant dans la province. S'il n'est pas possible à tous

---

1. Voir mon étude « Emperors, Papes and General Councils », *Dumbarton
Oaks Papers*, 6 (1951), pp. 1-23, avec la documentation sur le sujet. Cf. aussi
l'édition française de mon *Histoire des conciles*, Paris, 1962, pp. 11-13.
2. Mansi, 2, col. 669.

les évêques de se réunir, en raison de difficultés pressantes ou à cause des grandes distances locales, qu'au moins trois évêques (de la province) se réunissent et, après avoir obtenu l'agrément écrit des autres évêques, procèdent à la consécration. Il appartient aux métropolitains de chaque province de confirmer ce qui a été accompli. »

Ce canon sanctionnait définitivement le principe selon lequel l'organisation ecclésiastique devait se modeler sur l'organisation politique de l'Empire. Cet accommodement était d'ailleurs déjà chose faite à l'époque où le Concile se réunissait. Il suffit, pour s'en convaincre, de considérer l'ordre suivi par les évêques quand ils signèrent les décrets du Concile, et de voir qu'il correspondait à la division politique de la portion orientale de l'Empire [1].

Ce principe n'a jamais été contesté. Au contraire, d'autres décrets officiels l'ont manifesté de façon encore plus nette. Le synode d'Antioche, tenu en 341, décrète en son IXe canon [2] : « Que les évêques de chaque province se rappellent que l'évêque résidant dans la capitale *(metropolis)* a à s'occuper de toute la province et doit en exercer la surveillance ; ceux qui ont quelque affaire à régler sont en effet tenus de se rendre, de partout, dans la capitale. Pour cette raison il est décrété que cet évêque aura la préséance sur tous les autres évêques et que ceux-ci n'entreprendront rien de sérieux sans le consulter. Cela est en accord avec les anciens canons de nos Pères. » Ce canon rappelle aussi la raison qui rendait si importante la position du métropolitain : puisque toute la vie politique, économique et sociale était concentrée dans la capitale, tous ceux qui avaient quelque affaire à régler se trouvaient dans l'obligation de s'y rendre.

Les décrets promulgués par deux papes montrent

---

1. Ce parallèle a été établi par K. LÜBECK, dans son ouvrage *Reichseinleilung und kirchliche Hierarchie des Orients bis zum Ausgange des vierten Jahrhunderts*, Münster i. W., 1901, pp. 73-98.
2. MANSI, 2, col. 1312. D'autres canons du même synode sont également inspirés du même principe.

que ce principe était également accepté à Rome et dans
la partie occidentale de l'Empire. Le pape Boniface
(418-422) [1], se référant au canon IV du Concile de Nicée,
décréta que chaque province aurait son métropolitain
et interdit aux métropolitains d'exercer leur contrôle
sur d'autres provinces que la leur. Une déclaration
similaire fut faite également par le pape Innocent Ier
(402-417) [2].

*
* *

De plus, il faut noter que le Concile de Nicée sanctionna aussi une organisation supramétropolitaine qui s'était
déjà développée dans l'Église. De ce point de vue, le
canon VI est d'une grande importance. On y lit la déclaration suivante [3] : « En Égypte, en Lybie et dans la
Pentapole, on continuera d'observer l'ordre ancien,
c'est-à-dire que l'évêque d'Alexandrie exercera un
pouvoir suprême sur tout ce territoire, comme c'est
le cas pour l'évêque de Rome qui possède un même
pouvoir. De façon similaire seront également préservés
les droits respectifs de l'Église d'Antioche et des Églises
des autres éparchies. » Il ressort de ce canon que les
Pères de Nicée avaient en vue un autre accommodement
à l'organisation de l'Empire, celui des diocèses. Le diocèse, qui comprenait plusieurs provinces, était administré par un fonctionnaire qui avait le titre d'exarque. Le canon VI mentionne spécialement les diocèses
d'Italie, d'Égypte et d'Orient, avec leurs capitales,
Rome, Alexandrie et Antioche. Ces trois diocèses étaient
les plus importants groupements administratifs de
l'Empire. En mentionnant spécialement l'Égypte, les
Pères entendaient confirmer qu'Alexandrie possédait
les mêmes droits que Rome, notamment l'ordination
directe de tous les évêques du diocèse, sans considéra-

---

1. Mansi, 4, col. 396 ; *P.L.*, 20, col. 773.
2. *P.L.*, 20, col. 548.
3. Mansi, 2, col. 669. Sur les relations entre les Églises locales et les patriarcats du Ier au VIIe concile, voir l'étude de D. E. Lanne, « Églises locales et
patriarcats à l'époque des grands conciles », dans *Irenikon*, 34 (1961), pp. 292-321.

tion des droits des métropolitains. Pour Rome la situation était claire. Dans le diocèse d'Italie l'évêque de
Rome exerçait, en effet, une juridiction directe sur tous
les évêques, sans être obligé de passer par les métropolitains. Il était naturel qu'il en soit ainsi, en raison de
l'intime relation qui existait entre Rome et les cités
du diocèse. Ces cités étaient seulement considérées
comme *municipia*, Rome, la capitale, étant la seule
vraie ville. La teneur même du canon montre d'ailleurs
que les Pères tenaient ces droits de l'évêque de Rome
pour évidents et qu'il n'était nul besoin de leur donner
une confirmation spéciale.

Le cas de l'Égypte semble avoir été différent. Grâce à
l'immense prestige qu'Alexandrie avait acquis sur les
autres villes de l'Égypte pendant la période ptolémaïque,
prestige qui s'était encore accru sous la domination
romaine, il était normal pour l'évêque de cette ville de
prétendre à une position dominante dans la vie religieuse
du pays. C'était sous la direction des évêques d'Alexandrie que le christianisme s'était répandu en Égypte, et
les chrétiens de cette région les considéraient tout naturellement comme leurs pasteurs suprêmes. D'autre part,
il n'est pas sûr qu'à l'époque du Concile de Nicée, il y
ait eu, en Égypte, des métropolitains à la tête des
provinces qui divisaient la région[1].

Or, à cette époque, ces droits d'Alexandrie, tradition-
nellement reconnus, semblaient contestés par deux
incidents. Tout d'abord Mélèce, évêque de Lycopolis,
en ordonnant des évêques dans des districts qui se
trouvaient sous la juridiction immédiate d'Alexandrie,
avait provoqué un schisme local dans le pays. Par
ailleurs l'empereur Dioclétien, réorganisant l'Empire
en 297, avait privé l'Égypte de la position particulière
que lui avait donnée Auguste, et l'avait incorporée au
diocèse d'Orient dont la capitale était Antioche[2].

Cependant les Pères du Concile, qui se rendaient

---

1. Cette question est encore un sujet de discussion entre spécialistes. Pour
détails, voir mon livre *The Idea of Apostolicity*, p. 10.
2. Sur les réformes administratives de Dioclétien, voir W. Seston, *Dioclétien
et la tétrarchie*, Paris, 1946, pp. 294-351.

compte que la position d'Alexandrie en Égypte était
si forte qu'elle ne pouvait être contestée ni par les
évêques locaux ni par Antioche, avaient été conduits à
confirmer cette position par un canon spécial. Les événements qui suivirent devaient d'ailleurs leur donner
raison. L'intégration de l'Égypte dans le diocèse d'Orient
se révéla en effet impraticable, et, entre 380 et 382,
l'Égypte redevint un diocèse indépendant.

Quant à Antioche, elle ne pouvait prétendre exercer
une juridiction directe sur tout le diocèse d'Orient.
Ses évêques cependant avaient obtenu, semble-t-il, ce
droit de juridiction sur quelques provinces autres que
sa province propre de Syrie. Une lettre du pape Innocent Ier (402-417) [1] adressée à Alexandre d'Antioche,
paraît l'indiquer. L'évêque d'Antioche réclamait la
confirmation de ses droits, que contestaient peut-être
les métropolitains des provinces en question, et les Pères
lui donnèrent satisfaction. La teneur du canon indique
clairement cependant que ces droits étaient plus limités
que ceux de Rome et d'Alexandrie. Sur les autres diocèses de l'administration civile, nous ne possédons pas
de renseignements plus précis.

Il semble d'ailleurs que le canon VI, dans sa rédaction
primitive, n'avait pas en vue ces diocèses, mais les
métropolitains des éparchies ou provinces [2]. Si cette
interprétation est exacte, les Pères étaient prêts à
confirmer exclusivement les droits de Rome et d'Alexandrie, et partiellement ceux d'Antioche, mais n'entendaient pas favoriser l'extension de ces pratiques aux
autres diocèses, craignant de nuire aux droits des
métropolitains qu'assurait le canon IV.

En dépit de cette précaution, l'organisation ecclésiastique s'adaptait de plus en plus à la division de

---

1. *P.L.*, 20, col. 548. On peut conclure de cette lettre qu'au début du ve siècle
l'évêque d'Antioche ordonnait non seulement les métropolitains du diocèse
d'Orient, mais aussi les évêques des provinces voisines de la province de Syrie.
2. La plus ancienne traduction latine des canons de Nicée parle de métropolitains en d'autres provinces : « ... et in ceteris provinciis primatum habeant
ecclesiae civitatum ampliorum ». Voir C. H. TURNER, *Ecclesiae occidentalis
Monumenta iuris antiquissima*, Oxford, 1899, vol. I, p. 121. Pour les détails,
voir *The Idea of Apostolicity*, pp. 15 ss.

l'Empire en diocèses, et le canon mentionné semble
avoir accéléré cette évolution. Le canon II, voté par
le deuxième Concile œcuménique, celui de Constantinople, en 381, semble confirmer cette impression.
Voici ce qu'il dit [1] : « Selon les canons, l'évêque d'Alexandrie doit se limiter à l'administration de l'Égypte, les
évêques d'Orient ne doivent administrer que l'Orient
— pourvu que soient respectés les droits de l'Église
d'Antioche notifiés dans les canons de Nicée —, et les
évêques des diocèses d'Asie, du Pont et de la Thrace
doivent se limiter respectivement à l'administration
de ces diocèses. »

Ce canon, qui manifestait également ce que les Pères
de Nicée entendaient signifier par les canons qu'ils
avaient votés, montre clairement que les Pères du
Concile de Constantinople étaient résolus à ce que
l'organisation de l'Église s'adapte à la division politique
de l'Empire. Le VIe canon du même concile, qui règle
le droit d'appel de l'évêque condamné par un synode
de sa province, confirme encore cette impression,
puisqu'il lui permet d'en appeler à un synode plus large,
composé des évêques du diocèse de l'administration
civile dont la province faisait partie.

En raison du manque de documentation, il n'est
malheureusement pas possible de suivre de façon plus
détaillée le développement de l'organisation ecclésiastique en Orient. Il est malgré tout évident que les
Conciles de Nicée et de Constantinople ont fourni une
base canonique au développement d'une organisation
suprámétropolitaine coïncidant avec la division de
l'Empire en diocèses, organisation qui a trouvé son para-
chèvement dans l'érection des patriarcats. Les exarques
des diocèses — ce titre est souvent donné aux évêques
des capitales diocésaines — sont devenus patriarches.
Le résultat en aurait été que même Éphèse, Césarée de
Cappadoce et Héraclée seraient devenues le siège d'un
patriarche, puisque ces villes étaient capitales des
diocèses d'Asie, du Pont et de la Thrace, si Constan-

---

1. Mansi, 3, col. 560.

tinople n'avait pas mis fin à cette évolution en assumant
la suprême juridiction sur ces trois diocèses.

En Orient cette organisation était acceptée sans
difficultés. Une lettre de S. Jérôme, écrite en 396 ou
397 [1], où il reproche violemment à l'évêque de Jérusalem de s'être adressé à l'évêque d'Alexandrie pour une
affaire de son diocèse, au lieu de s'adresser à celui
d'Antioche, montre bien que l'organisation métropolitaine et supramétropolitaine était généralement acceptée en Orient.

* *
*

Nous avons vu qu'à Rome même on avait accepté
le principe d'accommodement à la division politique de
l'Empire. Il y a plus. Quand le diocèse civil d'Italie
fut divisé en deux à la suite de la réorganisation ordon-
née par Dioclétien, Milan devint la capitale du diocèse
de l'*Italia Annonaria*, qui comprenait tout le Nord de
l'Italie, et l'évêque de Milan assuma alors la juridiction
directe sur toutes les provinces du nouveau diocèse.
Quant à la juridiction directe de l'évêque de Rome, elle
se trouva limitée aux provinces dites suburbicaires [2].
Or, Rome semble avoir accepté cette nouvelle situation
sans protester, parce qu'elle correspondait au principe
d'accommodement à la division de l'Empire. De même,
les changements survenus dans le statut politique de
l'Illyricum provoquèrent l'érection d'un vicariat romain à Thessalonique. Quand les diocèses de Macédoine
et de Dacie, qui faisaient partie de l'Illyricum, et qui
se trouvaient sous la juridiction de l'évêque de Rome,
furent rattachés à l'Empire d'Orient, les papes, pour
sauver leurs droits sur cette région, promurent le métropolitain de Thessalonique — siège du préfet de l'Illyricum — à la dignité de vicaire [3].

---

1. *P.L.*, 23, col. 407 A.
2. Cf. F. Lanzoni, « Le diocesi d'Italia dalle origini al principio del secolo vii »,
dans *Studi e Testi*, 35 (1927), pp. 1016 ss. ; P. Batiffol, *Cathedra Petri*. Études
d'histoire ancienne de l'Église, Paris 1938, p. 43.
3. Voir la bibliographie récente sur le problème de la juridiction papale en
Illyricum dans mon livre *The Idea of Apostolicity*, pp. 25-30. Sur l'Illyricum,
cf. aussi mon ouvrage *Les légendes de Constantin et de Méthode vues de Byzance*,
Prague, 1933, pp. 248-283.

Dans les autres parties de l'Occident l'organisation
ecclésiastique s'était également conformée à la division
politique de l'Empire. On peut suivre ce processus en
Afrique principalement. S. Cyprien, avec son génie
organisateur, assura à la capitale de l'Afrique et à sa
résidence, Carthage, une place prédominante sur tous
les sièges épiscopaux des provinces africaines. Les
assemblées provinciales, présidées par l'évêque le plus
âgé, étaient supervisées par les synodes de l'Afrique
entière qui se réunissaient à Carthage sur convocation
de « l'évêque du premier siège [1] ».

Il est plus difficile de suivre ce processus en Espagne.
L'établissement des métropolitains dans les provinces
de ce pays était définitivement fixé au IVe siècle. Le
métropolitain de Tarragone, la capitale de la province
d'Espagne la plus vaste, était à la tête des quatre autres
métropoles. On sait aussi que ce principe d'accommodement fut appliqué à l'Espagne par le roi wisigoth
Reccared (586-601), qui abandonna l'Arianisme, suivi
de son peuple, et, après avoir unifié l'Église d'Espagne,
plaça à sa tête le métropolitain de sa résidence, Tolède [2].

En Gaule, les prétentions de la ville d'Arles reposaient
aussi sur une base politique. L'évêque de cette ville
commença à faire valoir sa juridiction sur les évêchés
de la province de Vienne lorsque, en 392, le préfet du
diocèse de Gallia s'établit dans les murs d'Arles. Le
Concile de Turin, qui fut très important dans l'histoire
religieuse de la Gaule, défendit les droits de Vienne, en
se déclarant pour le principe d'accommodement à
l'organisation politique de la Gaule. Arles n'en continua
pas moins à maintenir ses prétentions qui avaient
également une base politique [3].

---

1. Cf. H. Leclercq, *L'Afrique chrétienne*, Paris, 1904 et R. Höslinger, *Die alte afrikanische Kirche*, Vienne, 1935.
2. H. Leclercq, *L'Espagne chrétienne*, Paris, 1906 ; E. Magnin, *L'Église wisigothique au VIIe siècle*, Paris, 1912.
3. Pour plus de détail, voir L. Duchesne, *Textes épiscopaux de l'ancienne Gaule*, 2e éd., Paris, 1907, vol. I, pp. 86-146 et H. Leclercq, « Gallicane (Église) », dans *Dict. d'archéol. chrét.*, vol. 6, col. 395-403.

CHAPITRE II

PRINCIPE D'APOSTOLICITÉ
CONTRE PRINCIPE D'ACCOMMODEMENT

Lin, premier évêque de Rome. — Affermissement de la tradition pétrinienne à Rome. — La promotion de Constantinople et le principe d'accommodement. — Chalcédoine et la Primauté. — Léon le Grand et le canon XXVIII.

Il faut souligner qu'en Afrique, en Gaule et en Espagne, Rome bénéficia d'un prestige considérable dès le début de la christianisation de ces provinces. Bien entendu, la raison de cela était d'abord que les premiers missionnaires de ces pays étaient pour la plupart des prêtres envoyés par Rome. Ce prestige s'était trouvé naturellement accru par le fait que Rome était alors résidence impériale et capitale de l'Empire. Mais il ne faut pas oublier cependant que les jeunes Églises de ces pays avaient aussi une grande vénération pour S. Pierre, le fondateur du siège épiscopal de Rome, et pour les évêques de Rome qui en étaient les successeurs.

Il est fort possible que les évêques de Rome, jusqu'au IVe siècle, aient tiré suffisamment d'autorité et de prestige du fait de leur résidence dans la capitale de l'Empire pour n'avoir pas jugé nécessaire d'invoquer, en chaque occasion, l'origine pétrinienne de leur siège. Cela explique sans doute que l'idée, universellement répandue en Orient, selon laquelle les Apôtres étaient avant tout des docteurs et des maîtres envoyés par le Seigneur pour prêcher dans tout l'univers, se soit également fortement enracinée à Rome. C'est pour cette raison

que les premiers chrétiens ne désignaient jamais un
Apôtre comme premier évêque de la ville où il avait
implanté la foi. C'était celui qui avait été ordonné par
lui qui était considéré comme le premier évêque.

Cette coutume était également en usage à Rome. On
peut s'en rendre compte par la première liste des
évêques romains composée par Irénée, l'évêque de Lyon
mort martyr en 202. Irénée attribuait la fondation de
l'Église de Rome non seulement à Pierre, mais aussi à
Paul, et il écrivait [1] : « Après avoir fondé et institué
cette Église, les saints Apôtres confièrent à Lin la charge
de l'épiscopat... Il eut comme successeur Anaclet. Après
lui, en troisième place après le temps des Apôtres,
l'épiscopat fut confié à Clément qui avait vu les Apôtres.
A Clément succéda Évariste ; à Évariste succéda
Alexandre. Puis, comme sixième évêque après le temps
des Apôtres, il y eut Sixte, et après lui, ce fut Télesphore,
célèbre par son martyre. Ensuite il y eut Hygin, Pie
et Anicet. A Anicet succéda Soter, puis Éleuthère qui
occupe en ce moment le siège épiscopal comme douzième
évêque après le temps des Apôtres. »

D'après cette liste, il est clair que l'évêque de Lyon
ne comptait pas Pierre au nombre des évêques de Rome.
Il est possible qu'Irénée ait pris comme source la liste
d'Hégésippe, qui était plus ancienne ; de même, il est
possible qu'Hippolyte de Rome se soit servi de la liste
d'Irénée. A cet égard, la façon dont Eusèbe, dans son
Histoire ecclésiastique, traite la question de la succession
apostolique dans les villes dont les sièges avaient été
fondés par les Apôtres est particulièrement instructive.
Il attribue la fondation de l'évêché de Rome à S. Pierre
et à S. Paul, de l'évêché d'Alexandrie à S. Marc, et
de celui d'Antioche à S. Pierre, mais il ne met pas les
Apôtres en tête des listes épiscopales [2]. Pour lui, le

---

1. Irénée, *Contra Haereses*, *P.G.*, 7, col. 849 ss. L'ouvrage le plus important
sur les listes des évêques de Rome est celui de E. Caspar, « Die älteste römische
Bischofsliste », dans *Schriften der Königsberger gelehrten Gesellschaft*, Geisteswiss.
Kl. 4, 1926, pp. 206 ss.
2. Eusèbe de Césarée, *Histoire Ecclés.*, III, ch. 2, 15 et 21 ; *P.G.*, 20, col. 216,
249 et 256.

premier évêque de Rome était Lin, le premier évêque
d'Alexandrie Annianus, et le premier évêque d'Antioche
Evodius.

*
* *

On n'oubliait pas cependant l'origine pétrinienne du
siège de Rome. Tertullien [1] est le premier à avoir utilisé
Mat., 16, 18-19 pour prouver que Pierre était le fondement de l'Église, possédant les clefs du Royaume et le
pouvoir de lier et de délier. L'opinion selon laquelle
Calliste (217-222) aurait été le premier pape à s'être
servi de ce texte de Matthieu pour prouver qu'il avait
hérité du pouvoir de Pierre ne peut être authentifiée.
Quant au témoignage de Tertullien, que l'on cite souvent, il n'est pas clair et il est sujet à caution [2]. Ce qui
est certain, en tout cas, c'est que le passage de Mat.,
16, 18-19, était d'un usage courant au début du IIIe siècle.

Il est fort possible que le transfert de la résidence
impériale en Orient, au début du IVe siècle, ait contribué
à accélérer le développement de l'idée pétrinienne à
Rome. Le catalogue de Libère, en l'année 354, atteste
que la tradition primitive concernant l'origine de la
chrétienté romaine était déjà abandonnée à cette
époque. Le catalogue attribue, en effet, la fondation de
l'Église romaine à Pierre seul qu'il met aussi en tête
de la liste des évêques de Rome. Il se peut qu'Eusèbe
eut connaissance de ce revirement dans la tradition
romaine puisque, dans sa *Chronique* qui est postérieure
à son *Histoire*, il ne mentionne plus que Pierre comme
fondateur de l'Église de Rome.

---

1. TERTULLIEN, *De praescriptione haereticorum*, ed. *Corpus Script. Eccles.
latin.* (que l'on désignera désormais par le sigle *C.S.E.L.*) Vienne, 1942, vol. 70,
p. 26.

2. Cf. J. LUDWIG, *Die Primatworte Mat. 16, 18-19 in der altkirchlichen Exegese*,
Münster i. Westf., 1952, pp. 11-20 ; C. B. DALY, « The Edict of Callistus », dans
Studia patristica, vol. 3, Berlin, 1961, dans « Texte und Untersuchungen »,
vol. 78, pp. 176-182. Il paraît que l'attaque de Tertullien était dirigée contre
l'évêque de Carthage, Agrippinus. Hippolyte, qui semble mentionner un édit
de Calliste, ne cite pas Mat. 16, 18-19 (*Refutatio*, IX, 12, 20 ss., Griech. Christl.
Schriftsteller, Berlin, 1916, vol. 3, pp. 249 ss.).

Dans l'Église d'Occident, ce fut Cyprien qui contribua
le plus à faire disparaître la distinction entre le caractère
de l'apôtre et celui de l'évêque, en affirmant que les
pouvoirs de l'évêque étaient identiques à ceux des
apôtres [1]. Il désignait par ailleurs Rome comme « cathedra Petri » et « ecclesia principalis » [2], faisant reposer
l'unité de l'Église sur l'investiture donnée à Pierre par
le Seigneur.

Des déclarations aussi catégoriques venant d'un Père
qui n'était pas un Romain et qui jouissait d'un grand
prestige dans toute la chrétienté occidentale ne pouvaient que faire oublier en Occident la distinction entre
les fonctions de l'Apôtre et de l'évêque. Au IVe siècle
l'ancienne coutume attribuant la fondation de l'Église
de Rome à Pierre et à Paul disparut complètement.
Optat [3], Jérôme [4] et Augustin [5] ne citaient plus que
Pierre comme fondateur de l'Église de Rome et premier
évêque de la ville.

A partir de la seconde moitié du IVe siècle le siège
de Rome fut simplement nommé le siège de Pierre.
Important à ce point de vue est le synode de Sardique
qui invitait les prêtres à en appeler à l'évêque de Rome
« afin d'honorer la sainte mémoire de l'Apôtre Pierre [6] ».

Dès lors, il n'est pas étonnant qu'à partir de Libère
et de Damase les papes aient adopté pour leur siège
un nouveau titre, le titre de *sedes apostolica*. Ce titre
nouveau devint bientôt très populaire, dans toutes les
chrétientés d'Occident, en Espagne, en Afrique, en

---

1. Les passages les plus caractéristiques se trouvent dans les écrits suivants :
Lettres 3, 43, 66, 67, *C.S.E.L.*, vol. 3, éd. G. HARTEL, pp. 471, 594, 729, 738 ; *De
unitate ecclesiae, ibid.*, pp. 212, 213.
    2. *Lettre* 59, *ibid.*, p. 683. Cf. Th. CAMELOT, « Saint Cyprien et la Primauté »,
dans *Istina*, 1957, pp. 421-434, et surtout M. MACCARRONE, « Cathedra Petri und
päpstlicher Primat vom 2. bis 4. Jahrhundert », dans *Saeculum*, 13 (1962),
pp. 278-292.
    3. *Libri septem*, *C.S.E.L.*, 26, éd. C. Ziwsa, p. 36.
    4. *De viris illustribus*, *P.L.*, 23, col. 663-666.
    5. *Lettre* 53, *P.L.*, 33, col. 196 ; *C.S.E.L.*, 34, pp. 153 ss.
    6. MANSI, 3, col. 23. L'exemple de Palladius de Ratiaria montre cependant
que le prestige du siège romain n'était pas incontesté. Quoiqu'appelant Rome un
siège apostolique, il déclara, après sa condamnation par le synode d'Aquilée (381),
que le siège de Pierre était égal à tous les autres. Voir là-dessus L. SALTET, « Un
texte nouveau : *La Dissertatio Maximi contra Ambrosium* », dans le *Bulletin
de Littérature ecclés.*, Toulouse, 3e série, 2 (1900), pp. 118-129.

Gaule. On alla même trop loin dans cette vénération rendue à Pierre, en attribuant, au ve siècle, l'origine de l'épiscopat à S. Pierre uniquement. Ce ne fut qu'au vi^e siècle que cette tendance exagérée disparut [1].

Cette évolution est facile à expliquer. En Occident il n'y avait qu'un siège de fondation apostolique, celui de Rome. Ce fut en vain que la ville d'Arles chercha à profiter de la situation en forgeant la légende que son premier évêque — Trophime — avait été consacré par Pierre à Rome et envoyé à Arles. Selon une autre tradition également légendaire, Sirmium prétendait que son premier évêque, S. Andronique, avait été un des soixante-dix disciples du Seigneur. Il semble même que cette ville ait été, pendant la première moitié du ve siècle, la résidence du préfet de l'Illyricum. Mais l'invasion des Huns mit brusquement fin à toutes ces ambitions. Sirmium fut détruite en 448, et il ne subsista qu'un faible souvenir de son ancienne gloire [2]. Le siège de Rome est resté le seul en Occident à pouvoir se vanter d'avoir une origine apostolique : il avait été fondé par le premier des Apôtres, Pierre.

*
* *

Mais la question du caractère apostolique d'un siège se présentait de tout autre façon en Orient. Il y avait là plusieurs sièges importants qui avaient été fondés par un Apôtre : c'était le cas pour Jérusalem, Antioche, Alexandrie et Éphèse. A côté de ces grands sièges, il y en avait aussi une quantité d'autres moins importants, en Asie Mineure et en Grèce, qui, selon les écrits authentiques et apocryphes, avaient au moins été visités par un Apôtre. C'est la raison pour laquelle le principe de l'origine apostolique ne put jamais s'enraciner profondément dans l'organisation ecclésiastique de l'Orient et

---

1. Voir la documentation dans BATIFFOL, *Cathedra Petri*, surtout pp. 95-103.
2. Sur Sirmium, voir mon livre *Les légendes de Constantin et de Méthode*, pp. 251 ss. La ville a complètement disparu en 582, après sa destruction par les Avares.

que le principe d'accommodement aux divisions politiques de l'Empire demeura toujours prépondérant.

C'est à cette lumière qu'il faut examiner le canon III
du Concile de Constantinople, en 381, qui donne à
l'évêque de Constantinople le second rang dans la
hiérarchie ecclésiastique.

Pour les Orientaux cette promotion était tout à fait
naturelle, étant donné le changement survenu dans
l'organisation politique de l'Empire. La nouvelle capitale
de l'Empire, et résidence de l'Empereur, ne pouvait
rester subordonnée à la métropole du diocèse de Thrace,
Héraclée. En devenant une nouvelle Rome, Constantinople avait acquis le droit d'occuper une place immédiatement après Rome, l'ancienne capitale de l'Empire.

On s'imagine en général que la réaction de Rome
contre cette décision se manifesta immédiatement avec
vigueur. Mais elle ne devint vigoureuse qu'en 451,
lorsque le Concile de Chalcédoine ne se contenta pas de
ratifier la décision du Concile de 381, mais plaça aussi
sous la juridiction de Constantinople trois diocèses civils
d'Asie Mineure et d'Europe, ceux de Thrace, de l'Asie
et du Pont. Après 381, au contraire, nous cherchons en
vain une déclaration de Rome qui pourrait être considérée comme une protestation contre l'élévation de
Constantinople, et pourtant le contenu du canon III
a été sans doute connu en Occident dès l'automne 381 [1].

Comment expliquer cette évolution ? Il ne faut pas
oublier tout d'abord que le Concile de 381 n'avait pas,
à l'origine, un caractère œcuménique. Il avait été
convoqué par Théodose le Grand pour régler les affaires
de l'Église d'Orient, et seuls les évêques de cette partie
de l'Empire avaient été invités à s'y rendre. Le canon III
avait pour but, en premier lieu, de réduire l'influence
démesurée que l'évêque d'Alexandrie prenait en Orient.
Pierre d'Alexandrie, alors le premier parmi les prélats

---

1. Voir, pour plus de détails, mon livre *The Idea of Apostolicity*, pp. 50 ss.
D'après le *Chronicon paschale* (éd. B.G. Nieburg, *Corpus Script. historiae byzant.*,
Bonn, 1832), p. 530, Constantin le Grand avait déjà retiré Constantinople à la
juridiction de son métropolitain d'Héraclée. S'il en a été ainsi, cela s'était fait
en vertu du principe d'accommodement.

orientaux, avait étendu son influence non seulement à Antioche où il soutenait un évêque de son choix, Paulin, contre l'évêque légitime, Mélèce [1], mais aussi à Constantinople où, contre S. Grégoire de Nazianze, il suscitait Maxime le philosophe qu'il faisait ordonner clandestinement par des évêques égyptiens envoyés par lui à Constantinople.

Si nous tenons compte de tout cela, nous voyons clairement que le canon III n'avait nullement été voté pour affaiblir le prestige de Rome, mais seulement en vue d'amoindrir le prestige d'Alexandrie dans l'Église d'Orient [2]. Comme il ne s'agissait d'ailleurs que de se conformer à une pratique qui était universellement reconnue comme régulière, cette mesure ne rencontra aucune protestation en Orient, et Timothée, le frère et le successeur de Pierre sur le siège d'Alexandrie, céda volontiers à l'évêque de Constantinople la première place dans l'Église d'Orient et la seconde dans l'Église entière, et signa les Actes du Concile de 381.

Que ce canon, entrant dans la législation ecclésiastique, n'ait nullement été dirigé contre Rome et qu'il ait été uniquement destiné à régler les affaires de l'Église d'Orient, le fait qu'il ne fut même pas communiqué à l'Église de la partie occidentale de l'Empire en est une preuve. Cela, nous l'apprenons par une déclaration du pape Léon le Grand dans sa lettre au patriarche Anatole de Constantinople [3]. Dans l'esprit des Orientaux, ce canon ne touchait pas aux droits de Rome qui restait le premier siège dans la hiérarchie ecclésiastique. Il n'avait pas d'autre but que de régler les affaires intérieures de la partie orientale de l'Empire en adaptant l'organisation ecclésiastique à la nouvelle disposition politique.

Néanmoins, ce désir de régler seule ses affaires révèle pour la première fois, il faut le souligner, un esprit particulariste dans l'Église d'Orient. Malheureusement l'atti-

---

1. Sur ce schisme local et ses conséquences, voir l'étude de F. CAVALLERA, *Le schisme d'Antioche*, Paris, 1905.
2. Cf. aussi I. ORTIZ DE URBINA, *Nicée et Constantinople*, Paris, 1963, pp. 216 ss. (Histoire des Conciles œcuméniques, éd. par G. DUMEIGE, vol. 1).
3. MANSI, 6, col. 204 ; éd. E. SCHWARTZ, t. II, vol. 4, p. 61.

tude prise par l'Église d'Occident ne fit que confirmer
les Orientaux dans cette disposition.

L'évêque Paulin d'Antioche s'était adressé au synode
de l'Église d'Occident qui se tenait à Aquilée la même
année que le Concile de Constantinople. A l'instigation
de S. Ambroise, métropolitain de Milan, le synode envoya
une lettre à l'Empereur, lui demandant de convoquer
un concile pour régler le schisme d'Antioche.

Maxime, expulsé de Constantinople, se présenta à
Aquilée et réussit malheureusement à persuader S. Ambroise et le synode que c'était lui l'évêque légitime de
Constantinople et qu'il avait été injustement déposé
par le Concile siégeant dans la capitale. Ambroise et
les évêques de l'Italie du Nord, ébranlés par les fausses
rumeurs concernant le nouvel évêque de Constantinople,
Nectaire, accordèrent foi aux assertions de Maxime.
Ambroise, dans une lettre adressée à l'Empereur, se
plaignit que les affaires ecclésiastiques de deux grands
sièges, Antioche et Constantinople, avaient été réglées
sans que l'Église d'Occident fût consultée, et demanda
la convocation d'un concile à Rome pour l'examen de
ces litiges. L'Empereur et les évêques orientaux, si l'on
en juge par la seconde lettre d'Ambroise à Théodose [1],
furent fâchés de cette ingérence des Occidentaux dans
leurs affaires intérieures, d'autant qu'elles avaient déjà
été réglées par un synode. L'Empereur refusa de convoquer un concile général, et les évêques d'Orient, invités
par Ambroise au synode de Rome, répondirent par une
lettre polie [2], où ils déclaraient catégoriquement qu'ils
étaient capables de régler eux-mêmes les affaires intérieures de leur Église conformément aux canons.

La teneur de cette lettre montre clairement que les
Orientaux étaient fermement décidés à régler seuls
leurs affaires intérieures, sans l'intervention d'une
autre Église. Et cela confirme aussi notre interprétation

---

1. Voir ces lettres dans la correspondance d'Ambroise, *Epist.* 12, 13, 14,
P.L., 16, col. 987 ss., 990 ss., 993 ss.
2. La lettre a été conservée par Théodoret dans son *Historia ecclesiastica*, 5,
éd. L. Parmentier, *Griech. Christl. Schrifst.*, 19 (1911), pp. 289 ss. ; Mansi, 3,
col. 581-588.

suivant laquelle les canons votés par le Concile concernaient uniquement l'Église d'Orient. Malheureusement la maladresse commise par S. Ambroise et ses évêques en acceptant un évêque installé par fraude, indigne de cette charge en raison de sa vie privée, et canoniquement déposé par le synode de son Église, ne pouvait qu'affermir les évêques d'Orient dans leurs sentiments isolationnistes et dans leur détermination à défendre l'autonomie de leur Église pour ce qui avait trait à son administration. Cet incident montre aussi combien il était difficile, pour l'Occident, de se faire une idée exacte des affaires de l'Orient.

Étant donné qu'à l'époque le principe d'accommodement aux divisions politiques de l'Empire était encore agréé en Occident, la promotion de Constantinople au second rang dans la hiérarchie y fut tacitement acceptée. Cela fut facilité pour la raison que le canon ne donnait à Byzance qu'une préséance d'honneur, sans augmenter expressément l'étendue de sa juridiction. On ne pouvait encore prévoir, en 381, ce qui allait se passer dans le futur.

C'est pourquoi le pape Damase n'éleva aucune protestation contre cette élévation de Constantinople, bien qu'Alexandrie ait toujours été, dans le passé, en étroit contact avec Rome. Cet événement, qui a souvent été considéré comme le premier conflit entre Rome et Byzance, s'est donc, en fait, déroulé de façon tout à fait amicale. On continuait à regarder l'évêque de Rome comme le premier évêque de l'Empire, à la tête de l'Église[1].

---

1. On a cru que le passage relatif aux sièges patriarcaux que l'on peut lire dans la troisième partie du fameux *Decretum Gelasianum* avait été voté en 382 par le Concile de Rome pour protester contre le canon III du Concile de Constantinople. Ce passage du *Decretum* attribue dans la hiérarchie la seconde place à Alexandrie et la troisième place à Antioche, en raison du lien que ces sièges avaient avec l'Apôtre Pierre. Il est généralement reconnu maintenant que ce document a été composé à la fin du vᵉ siècle. Pour plus de détails, voir P. BATIFFOL, *Le Siège apostolique*, pp. 146-150. H. MAROT (« Les conciles romains des ivᵉ et vᵉ siècles et le développement de la primauté », dans *Istina*, 1957, p. 458) a tort lorsqu'il fait remonter ce canon au synode de 382. Cf. plus loin, pp. 55 ss. ce que nous disons sur ce canon.

*
* *

Le conflit entre Byzance et Rome qui surgit en 451, pendant le Concile de Chalcédoine, paraît plus sérieux. On sait que les Pères du Concile avaient voté, en l'absence des légats romains, le fameux canon XXVIII qui non seulement confirmait la préséance de l'évêque de la capitale sur Alexandrie et Antioche mais plaçait aussi sous sa juridiction les trois diocèses de Thrace, de l'Asie et du Pont, ainsi que les territoires qui, par la suite, pouvaient être acquis par les missionnaires.

Les légats, apprenant ce qui s'était passé, protestèrent vigoureusement contre le vote du canon. On sait que le pape Léon Ier refusa de sanctionner cette innovation et protesta catégoriquement dans ses lettres contre la promotion de Constantinople à la seconde place dans la hiérarchie [1]. On a souvent voulu voir dans le vote de ce canon une attaque dirigée contre la primauté de l'évêque de Rome, et cette opinion semble confirmée par l'attitude hostile de Léon Ier. Cette explication est-elle exacte ? Les Pères de Chalcédoine avaient-ils réellement l'intention, en élevant l'évêque de Constantinople, de priver l'évêque de Rome de sa position privilégiée ?

Pour pouvoir donner une réponse satisfaisante à cette question et expliquer l'attitude des Pères de Chalcédoine, il est nécessaire d'examiner de nouveau ce qui s'était passé dans l'Église d'Orient depuis 381. Bien que les évêques d'Alexandrie eussent accepté les décisions de ce concile, ils n'avaient pas, en fait, abandonné leurs prétentions à la prédominance en Orient. Tout ce qui se passa dans l'Église d'Orient, du ive à la moitié du ve siècle, trouve son explication dans la rivalité entre le siège d'Alexandrie et Byzance et dans la prétention d'Alexandrie à la première place.

---

1. Cf. surtout ses lettres 104, 105, 106 à l'empereur Marcien, à l'impératrice Pulchérie et au patriarche Anatole, *P.L.*, 54, col. 994-1009 ; Mansi, 6, col. 182-207.

La position de l'Égypte en Orient demeurait très puissante ; son importance pour l'approvisionnement en blé des deux capitales, Rome et Byzance, avait pour effet de rehausser le prestige dont l'évêque d'Alexandrie jouissait à la cour. Celui-ci disposait par ailleurs d'énormes richesses, car les riches dotations des temples païens avaient été mises à sa disposition. L'évêque trouvait toujours des partisans fanatiques de sa politique parmi les moines dont le nombre, depuis la fondation des premières communautés monastiques d'Égypte, ne cessait de s'accroître. Il bénéficiait aussi du grand prestige que S. Athanase d'Alexandrie avait acquis en Orient par sa lutte intrépide contre l'Arianisme condamné à Nicée.

Déjà Timothée, qui avait signé le canon III du deuxième Concile, avait trouvé l'occasion d'une revanche. Il s'était mêlé aux intrigues qui avaient obligé S. Grégoire de Nazianze, évêque de Constantinople, à démissionner de son siège.

Peu après 381, l'évêque Théophile d'Alexandrie (385-412) utilisa tous les moyens que lui fournissaient sa situation et ses richesses pour nuire à l'évêque de Constantinople, S. Jean Chrysostome [1]. Il obtint de l'Empereur un décret qui humilia grandement le siège de cette ville. S. Chrysostome, en conflit avec l'Empereur, fut injustement déposé et envoyé en exil.

Le triomphe remporté par S. Cyrille d'Alexandrie (412-444) fut encore plus grand. C'est grâce à son intervention que Nestorius de Constantinople fut accusé d'hérésie, condamné par le Concile d'Éphèse (431), déposé et envoyé en exil. Ce fut là le plus grand triomphe d'Alexandrie. On sait que Cyrille usa de tous les moyens pour réussir, jusqu'à l'envoi de riches cadeaux pour

---

1. Le meilleur exposé succinct de ces intrigues est celui de N. H. BAYNES, « Alexandria and Constantinople. A Study in Ecclesiastical Diplomacy », dans *The Journal of Egyptian Archeology*, 12 (1926), pp. 145-156. Cette étude a été rééditée dans ses *Byzantine Studies and other Essays*, Londres, 1955, pp. 97-115. Cf. aussi G. BARDY, « Alexandrie, Rome, Constantinople », dans *L'Église et les Églises*, Chevetogne, 1954, vol. 1, pp. 183-207, et H. MAROT, « Les conciles romains des IVe et Ve siècles et le développement de la Primauté », *ibid.*, pp. 209-240.

gagner la faveur des hauts fonctionnaires de la Cour [1].
Cette lutte entre Constantinople et Alexandrie appa-
raîtrait dans une lumière encore plus vive si les théologiens qui, aujourd'hui, défendent l'orthodoxie de
Nestorius se révélaient avoir raison [2].

Le successeur de Cyrille, Dioscore, crut remporter
une victoire plus définitive encore que son prédécesseur
en s'efforçant d'imposer la doctrine monophysite au
monde chrétien tout entier. Cette doctrine est confirmée
au second concile réuni à Éphèse (449) grâce aux appuis
que Dioscore s'était acquis à la cour. A ce concile
l'évêque d'Alexandrie occupe la première place, les
légats de Rome n'y occupent que la seconde, Jérusalem
la troisième, Antioche la quatrième et Constantinople
la cinquième. Dioscore remporte la victoire au moyen
de procédés qui ne lui font pas honneur. Flavien,
l'évêque de Constantinople, mourra peu après, à la
suite des mauvais traitements que lui avaient fait
subir à Éphèse les fanatiques partisans de Dioscore.
Ce synode d'Éphèse fut à juste titre appelé par la suite
Latrocinium (brigandage), mais sur le moment il se
présentait comme une victoire d'Alexandrie sur les
autres sièges patriarcaux, en particulier sur Constantinople. Le biographe copte de Dioscore lui attribue
en réalité l'ambition de s'élever au-dessus de tous les
patriarches, puisqu'il semble même qu'il en était arrivé
à prétendre que S. Marc était supérieur à S. Pierre [3].

Ce fut en vain que le pape Léon s'efforça de ramener
Dioscore dans une meilleure voie. Il eut beau invoquer
la parenté qui existait entre les deux sièges du fait de
leur liaison avec S. Pierre. Aussi longtemps que l'Empereur Théodose refusa de convoquer un autre concile,
Dioscore triompha. Ce ne fut qu'après la mort de
Théodose le Mineur que le pape obtint de son successeur

---

1. Pour plus de détails, voir P. BATIFFOL, « Les présents de S. Cyrille à la cour
de Constantinople », dans *Études de liturgie et d'archéologie chrétiennes*, Paris,
1919, pp. 154-179.
2. Voir, à ce sujet, l'étude de M. ANASTOS, « Nestorius was orthodox », dans
Dumbarton Oaks Papers, 16 (1962), pp. 117-140.
3. Cf. F. HAASE, « Patriarch Dioskur I. nach monophysitischen Quellen »,
dans M. SDRALEK, *Kirchengeschichtliche Abhandlungen*, 6 (1908), p. 204.

Marcien, grâce surtout à l'intervention de l'impératrice
Pulchérie, la convocation d'un nouveau concile à Chalcédoine [1].

Si nous tenons compte de tout cela, nous comprendrons alors pourquoi les prélats orientaux voulurent
profiter de l'occasion pour remettre Alexandrie à sa
vraie place et rehausser le prestige de Constantinople
en Orient. Le canon XXVIII voté par eux était donc
essentiellement dirigé contre Alexandrie et les prétentions de ses puissants patriarches.

N'oublions pas non plus le rôle prédominant que
S. Léon joua au Concile par l'intermédiaire de ses légats
et le prestige qu'il avait acquis auprès des Orientaux
en raison de ses efforts pour la convocation du Concile
et pour la défense déterminée et courageuse de la vraie
doctrine. Sa lettre au patriarche Flavien, dans laquelle
il exposait la doctrine sur la Trinité, fut lue au Concile
et fut déclarée le monument de l'orthodoxie. L'atmosphère du Concile n'était donc pas du tout défavorable
à Rome, bien au contraire. Ce qui montre, une fois de
plus, que les Pères, en votant le canon XXVIII, visaient
avant tout Alexandrie.

Alors, pourquoi le pape fut-il donc si alarmé par le
vote de ce canon ? Il partageait l'idée, semble-t-il, que
Constantinople devait avoir une prééminence d'honneur,
car à lui aussi le principe d'accommodement était
familier. Ses légats n'avaient pas protesté contre le
canon XVII qui établissait que l'Église devait s'adapter,
chaque fois qu'un changement survenait dans l'organisation civile des provinces, et en particulier quand une
nouvelle ville se trouvait fondée [2]. Ce canon figure parmi

---

1. Sur les relations de Léon avec l'Empereur, voir P. Stockmeier, *Leo I. des
Grossen Beurteilung der kaiserlichen Religionspolitik*, Münchener theol. Studien,
Histor. Abt., vol. 14 (1959), pp. 75-168. Cf. aussi l'étude récente de W. Ullmann,
« Leo I and the Theme of Papal Primacy », dans *The Journal of Theol. Studies*,
N.S., vol. 11 (1960), pp. 25-51.

2. Pendant la première session du Concile, le légat Paschasinus, apprenant
qu'au « Synode des brigands » l'évêque de Constantinople avait été relégué à la
dernière place, déclara : « Nous, nous regardons Anatole (de Constantinople)
comme le premier. » L'évêque de Cyzique répondit alors : « Oui, car vous connaissez les canons » (Mansi, 6, col. 608 B). Il faisait allusion aux canons de Constantinople (381).

ceux que Rome approuva. Les légats n'avaient même pas protesté contre le canon IX qui stipulait que les clercs des autres patriarcats pouvaient en appeler du jugement de leur métropolitain soit au jugement de leur exarque soit à celui de l'évêque de Constantinople. C'était là un nouveau privilège accordé à Constantinople, privilège confirmé par le canon XVII mentionné plus haut.

Bien que ce privilège fût considérable, il ne sembla pas, aux yeux des légats, devoir changer essentiellement le statut de Constantinople.

Mais la soumission de trois diocèses civils à la juridiction de l'évêque de Constantinople élevait celui-ci à une situation sans pareille en Orient [1]. Les légats du pape y virent un danger pour l'unité de l'Église et aussi, dans l'avenir, pour la primauté de Rome, et cela d'autant plus que l'évêque de la capitale pouvait aisément obtenir l'appui des empereurs.

*   *
*

Ce qui inquiétait le pape, c'est qu'on avait omis de mentionner dans le canon le caractère apostolique et pétrinien du siège de Rome. La nouvelle mesure était fondée uniquement sur le principe d'accommodement. Or Rome avait déjà perdu le prestige qu'elle avait autrefois comme capitale de l'Empire et résidence de l'Empereur. Ses évêques ne pouvaient plus fonder leurs privilèges dans l'Église que sur l'origine apostolique et pétrinienne de leur siège. Léon en était fortement conscient et soulignait l'apostolicité de son siège dans ses lettres à l'Empereur ; au concile, ses légats insistaient en toute occasion pour être admis comme envoyés du siège apostolique [2]. Le fait que les Pères orientaux ne faisaient valoir que la base politique pour l'élévation de Constantinople et l'omission par eux du caractère pétrinien et apostolique du siège de Rome paraissaient pleins de danger aux yeux de Léon.

---

1. Cf. Th. Camelot, *Éphèse et Chalcédoine*, Paris, 1963, pp. 161 ss. (Histoire des conciles œcuméniques, éd. par G. Dumeige, vol. 2).

2. Pour plus de détails, voir mon livre *The Idea of Apostolicity*, pp. 75 ss.

Malheureusement les Pères orientaux ne saisissaient pas encore toute l'importance de l'origine apostolique d'un siège pour l'organisation de l'Église. Ils étaient encore beaucoup trop sous l'influence du vieux principe d'accommodement. Néanmoins, ils n'avaient nullement l'intention de nier la primauté de Rome, et leur attitude pendant la dernière session du concile le montre. En effet, les légats, citant le canon VI de Nicée, avaient utilisé une ancienne traduction latine qui était précédée de la déclaration : « Romana Ecclesia semper habuit primatum [1] ». Cette déclaration ne se trouvait pas dans la version grecque originale du canon, et cette version grecque fut également lue au cours de cette même dernière session. Les prélats s'aperçurent donc bien que les Latins s'étaient permis une addition au canon afin de rehausser le prestige de Rome, mais personne ne protesta contre cette addition.

De même, le fait que l'Empereur, le patriarche de Constantinople et les Pères du Concile s'adressèrent tous au pape pour lui demander d'accepter ce canon, montre clairement qu'ils n'y voyaient aucune diminution de la position que le pape occupait dans l'Église [2].

Il est possible qu'ils se soient finalement rendu compte de la raison pour laquelle le pape se montrait hostile à ce canon, car, dans leurs lettres, ils soulignaient le caractère apostolique du siège de Rome. Ces assurances ne parurent pas suffisantes à Léon. Le caractère apostolique de Rome aurait dû être mentionné dans le canon lui-même. S'il en avait été ainsi, il aurait été difficile pour le pape de refuser ce canon.

---

1. Voir C. H. TURNER, *Ecclesiae occidentalis Monumenta juris antiquissima*, Oxford, 1899-1929, vol. 1, pp. 103, 121. Cf. aussi E. SCHWARTZ, « Der sechste nicänische Kanon auf der Synode von Chalkedon », dans *Sitzungsberichte der Preussischen Akad.*, phil. hist. Kl., Berlin, 1930.

2. Que le canon en question ne niait nullement la primauté de Rome est un fait reconnu par la grande majorité des spécialistes. Voir là-dessus l'étude bien documentée de E. HERMAN, « Chalkedon und die Ausgestaltung des Konstantinopolitanischen Primats », dans le symposium *Das Konzil von Chalkedon*, éd. par A. GRILLMEIER et H. BACHT, Würzburg, 1953, vol. 2, pp. 459-490. Cf. aussi M. JUGIE, *Le Schisme byzantin*, Paris, 1941, pp. 11-19 et J. MEYENDORFF, « La primauté romaine dans la tradition canonique jusqu'au Concile de Chalcédoine », dans *Istina* (1959), pp. 463-482.

A cause de cette omission, le pape opposa au principe
d'adaptation aux divisions politiques de l'Empire le
principe de l'origine apostolique et pétrinienne d'un
siège. Rome avait la primauté non parce qu'elle avait
été la capitale de l'Empire et la résidence de l'Empereur,
mais parce que son siège avait été fondé par Pierre,
le prince des Apôtres. La deuxième place dans l'Église
appartenait à Alexandrie parce que son siège avait été
fondé par Marc, disciple de Pierre. La troisième place
revenait à Antioche parce que Pierre y avait prêché
et que les disciples de la nouvelle foi y avaient, pour
la première fois, reçu le nom de « chrétiens ». De plus,
disait Léon, la décision de Chalcédoine est en contradiction avec celle de Nicée, puisque les Pères de ce
premier concile ne reconnaissaient que trois sièges
principaux, les sièges de Rome, d'Alexandrie et d'Antioche.

Le pape ne se rendait pas compte que son argumentation contenait un point faible. En effet, selon la théorie de l'origine apostolique, Antioche aurait dû avoir
la seconde place, puisque Pierre y avait fondé un évêché.
Par ailleurs, le canon VI de Nicée avait bel et bien pour
base le principe d'accommodement à la situation politique de l'Empire. De plus, le pape, dans son désir
d'introduire dans l'organisation ecclésiastique le principe d'apostolicité, oubliait que c'était encore le principe
d'accommodement qui continuait, aux yeux des Byzantins, à assurer à Rome la primauté dans l'Église.
L'Empire byzantin, en effet, était la continuation de
l'Empire romain. Les Byzantins ne s'appelaient pas
Hellènes ou Grecs, mais *Romaioi* (Romains). Rome
demeurait la base de leur Empire et, à leurs yeux,
l'ancienne capitale était toujours « cité impériale ».
C'est le titre que plusieurs évêques orientaux donnèrent
à Rome dans leurs interventions au Concile de Chalcédoine [1]. En raison de cette « idéologie romaine » il

---

1. Par exemple, au cours de la deuxième session, les sénateurs Maxime
d'Antioche et Théodore de Claudiopolis, Mansi, 6, col., 960 C, 1048 D, 1080 B ;
vol. 7, col. 12 B, éd. E. Schwartz, t. II, vol. 3, 1ʳᵉ part., p. 81; 2ᵉ part., pp. 47,
71 ; t. II, vol. 1, 2ᵉ part., p. 94.

n'était pas possible que les Byzantins en arrivent jamais à priver Rome et son évêque de la situation privilégiée que la cité occupait dans la vie et l'idéologie politique de l'Empire et son évêque dans la hiérarchie ecclésiastique. Ils n'auraient jamais pu songer à transférer la primauté de Rome à une autre cité, car c'eût été détruire la base même sur laquelle leur Empire était bâti.

L'évêque Julien de Cos qui représentait le pape Léon à Constantinople comprenait fort bien cette situation et il suggéra au pape d'accepter le canon contesté [1]. Cela aurait pu se faire dans une lettre où le pape aurait déclaré que le caractère apostolique et pétrinien de Rome était l'unique source de sa primauté dans l'Église. Si nous tenons compte de la bonne disposition des Pères du Concile à l'égard du pape, une telle déclaration aurait certainement été acceptée par eux sans difficulté.

Mais Léon en jugea autrement, et il crut, pour le moment du moins, avoir remporté une victoire. En raison de son opposition, le canon XXVIII ne fut pas introduit dans les collections canoniques officielles. Il n'apparut qu'au VIe siècle dans le *Syntagma de Quatorze Titres* [2].

Le premier malentendu entre l'Église d'Orient et l'Église d'Occident eut donc pour cause le heurt de deux principes différents d'organisation de l'Église, le principe d'accommodement à la division politique de l'Empire et le principe de l'origine apostolique et pétrinienne des sièges épiscopaux. Les Pères de Chalcédoine ne réussirent pas à trouver un compromis entre ces deux principes. Ce qui fut regrettable car, en dépit de la victoire apparente du pape Léon, Constantinople n'en continua pas moins à exercer sa juridiction sur les trois diocèses mineurs de l'Empire. Les patriarcats d'Alexandrie et d'Antioche étaient affaiblis par l'expansion du

---

1. Cela paraît confirmé par une lettre du pape à Julien, MANSI, 6, col. 207, lettre 107.
2. Publié par V. N. BENEŠEVIČ, *Kanoničeskij Sbornik XIV titulov*, Saint-Pétersbourg, 1903, p. 155. Pour l'histoire de l'application du principe pétrinien par la papauté, voir A. MICHEL, « Der Kampf um das politische oder Petrinische Prinzip der Kirchenführung », dans *Das Konzil von Chalkedon*, éd. A. GRILLMEIER et BACHT, vol. 1, pp. 491-562.

Nestorianisme et du Monophysisme ; aussi le patriarcat de Constantinople était-il devenu, *de facto*, le plus important et celui qui exerçait la plus forte influence dans tout l'Orient chrétien.

C'est une nouvelle agitation monophysite provenant d'Alexandrie qui eut pour effet de rapprocher le patriarche Anatole et le pape Léon. Le patriarche Timothée d'Alexandrie, mécontent des décisions prises à Chalcédoine, réclamait la convocation d'un nouveau concile. Le pape s'y opposait car il craignait que les décisions de Chalcédoine ne fussent remises en question. Il trouva un allié en la personne du patriarche de Constantinople qui, lui, craignait une nouvelle protestation de la part du pape contre le canon XXVIII, protestation qui trouverait certainement le soutien du patriarche d'Alexandrie. Un nouveau concile ne fut donc pas convoqué, mais Rome y perdit le soutien d'Alexandrie et d'Antioche dans sa rivalité avec Constantinople.

CHAPITRE III

LE SCHISME D'ACACE ET LA PRIMAUTÉ

Le pape Gélase et Byzance. — Hormisdas et Jean de Constantinople. — La promotion de Constantinople et les premiers canonistes latins. — Le canon XXVIII dans deux manuscrits de la Prisca.

Peut-être cette collaboration entre le pape et le patriarche aurait-elle abouti à un compromis sur le canon XXVIII si elle avait été de plus longue durée. Malheureusement la bonne entente cessa lors d'un nouveau conflit qui se termina par un schisme, appelé le schisme d'Acace — il devait durer de 484 jusqu'en 519. Le patriarche Acace accepta, en effet, le décret religieux de l'empereur Zénon dit *Henoticon* (482) ; ce décret, dans l'espoir de réconcilier les monophysites en leur accordant quelques concessions, affaiblissait les décisions dogmatiques de Chalcédoine. Le pape Félix refusa le compromis et excommunia Acace.

Au cours de cette controverse l'idée de la tradition apostolique et pétrinienne fut l'arme de choc de l'arsenal romain. Sur cette base le pape Gélase (492-496) développa ses idées sur la plénitude du pouvoir pontifical. Il ne répudiait pas seulement le canon XXVIII de Chalcédoine, mais, dans sa polémique avec le patriarche, refusait même d'accorder à Constantinople le statut de cité métropolitaine [1].

---

1. *P.L.*, 59, col. 65. Pour plus de détails sur ce schisme, voir E. STEIN, *Histoire du Bas-Empire*, Bruges, 1949, pp. 31-39, 165-192 ; E. CASPAR, *Geschichte des Papsttums*, Tübingen, 1933, vol. 2, pp. 10-81 ; A. A. VASILIEV, *Justin I.*,

Profitant de la nouvelle situation politique, il s'opposa courageusement à l'empereur Anastase Ier (491-518). La situation de l'Empire byzantin était considérablement affaiblie par les invasions des Germains et des Huns. Sûr de l'appui de Théodoric, roi des Ostrogoths et maître de l'Italie, Gélase dénia à l'Empereur le droit d'intervenir dans les affaires religieuses ainsi qu'il le réclamait. Exaltant le rôle du sacerdoce, Gélase le plaçait presque sur le même plan que le pouvoir impérial. Sa définition des deux pouvoirs est devenue célèbre [1] : « Deux choses gouvernent le monde : l'autorité sacrée du pontife et le pouvoir impérial. De ces deux choses, les prêtres supportent un poids d'autant plus lourd qu'au Jugement dernier ils devront rendre compte non seulement pour eux mais aussi pour les rois. »

Il est probable que les contemporains n'ont pas pris conscience que les déclarations de Gélase marquaient une rupture avec l'Hellénisme chrétien, avec la philosophie politique qui avait été acceptée par les chrétiens après la conversion de Constantin le Grand. Il n'en reste pas moins vrai que les déclarations de Gélase, reprises par son successeur Symmaque, ont aidé les canonistes du XIe siècle à développer une nouvelle doctrine politique, celle de la supériorité du pouvoir spirituel sur le pouvoir temporel, doctrine qui, en définitive, a causé la décadence de la papauté à la fin du moyen âge.

Les prélats orientaux trouvèrent l'attitude de Gélase trop rigide. Le pape se plaignait, dans ses lettres, que les Orientaux l'accusaient d'arrogance, de superbe et d'obstination [2]. Les écrits polémiques ont encore accru l'animosité réciproque. Pourtant, malgré l'amertume

---

Cambridge, Mass., 1950, pp. 166 ss. ; A. FLICHE-V. MARTIN, *Histoire de l'Église*, vol. 4, Paris, 1939, pp. 291-320, 423 ss.

1. Cette définition se trouve dans sa lettre à l'empereur Anastase Ier, *P.L.*, 59, col. 42-43. Cf. mon étude « Pape Gelasius and Emperor Anastasius I », dans *Byzantinische Zeitschrift*, 44 (1951), pp. 111-116. Pour plus de détails, voir mon livre *The Idea of Apostolicity*, pp. 109-122.

2. Surtout *P.L.*, 59, col. 27-28, 94-97. Cf. mon livre *The Idea of Apostolicity* pp. 118 ss.

que l'attitude de Gélase avait suscitée dans les âmes des prélats byzantins, ils furent impressionnés par les arguments du pape. On remarque, dans leurs réponses aux lettres pontificales, qu'ils parlent plus souvent qu'autrefois du caractère apostolique du siège romain. Le principe d'apostolicité, si fortement souligné par Gélase, commençait à prendre également racine à Byzance.

* ***

Ce fut le pape Hormisdas (514-523) qui, avec l'aide de Justinien, neveu de Justin — lui-même successeur de l'empereur Anastase Ier — parvint à mettre fin au schisme. Il est presque étonnant de constater que les prélats byzantins, si obstinés à défendre l'autonomie de leur Église au cours de la controverse, ont tous signé le *Libellus Hormisdae*, document qui définissait clairement la primauté du siège romain [1]. En voici les passages essentiels : « On ne peut passer sous silence l'affirmation de Notre Seigneur Jésus-Christ, qui a dit : " Tu es Pierre, et sur cette pierre je bâtirai mon Église... " Ces paroles sont vérifiées par les faits : c'est dans le siège apostolique que s'est toujours conservée sans tache la religion catholique... C'est pourquoi j'espère obtenir d'être en communion avec le siège apostolique en qui se trouve l'entière et véritable et parfaite stabilité de la religion chrétienne... »

C'étaient des mots choisis à l'intention des prélats byzantins. Il n'est pas surprenant que le patriarche Jean ait demandé l'autorisation de faire précéder sa profession d'une préface dans laquelle il essayait de mettre le siège de Constantinople sur le même plan que celui de Rome [2] : « J'accepte que les deux plus saintes Églises, c'est-à-dire celle de votre Rome ancienne et celle de notre nouvelle Rome soient une ; j'admets que l'autre siège de S. Pierre, et celui de la cité impériale soient un. » On assiste ici à l'une des premières tenta-

---

1. *P.L.*, 63, col. 460 ; Mansi, 8, col. 467.
2. *P.L.*, 63, col. 444 A ; *Col. Avel. Epist.* 159, *C.S.E.L.*, vol. 35, p. 608, 2.

tives, venant d'un patriarche de Constantinople, pour
réconcilier les deux principes, celui de l'apostolicité
d'un siège et celui de l'accommodement aux divisions
politiques de l'Empire.

La correspondance échangée entre le patriarche et le
pape Hormisdas révèle encore autre chose. Déjà, dans
sa première lettre envoyée le 7 septembre 518 [1], le
patriarche Jean assure le pape qu'il accepte la doctrine
définie par les Conciles de Nicée, de Constantinople,
d'Éphèse et de Chalcédoine. On a l'impression que le
patriarche veut amener le pape à reconnaître formellement l'œcuménicité du deuxième concile, celui de
381. Il mentionne également les quatre conciles dans
la préface à sa confession que nous avons signalée plus
haut et qu'il signa le 28 mars 519. Dans sa réponse à la
première lettre, le pape parla des conciles en général,
ne mentionnant nommément que le Concile de Chalcédoine [2] ; dans sa seconde lettre, il ne fait aucune allusion
aux conciles [3]. Mais, lorsqu'il exprime la joie que lui
cause la profession de foi de Jean, il passe sous silence
l'insistance du patriarche à parler de la foi définie par
les quatre conciles œcuméniques. On peut en conclure
que l'œcuménicité du Concile de 381 a été, au moins
tacitement, reconnue à Rome. La chose paraît confirmée
par le fait que le pape accepta les lettres de Justinien [4],
de l'évêque de Nicopolis [5] et du patriarche Épiphane
(520-536) [6], dans lesquelles le Concile de 381 est compté
parmi les quatre conciles œcuméniques.

---

1. *P.L.*, 63, col. 429 ; *Col. Avel. Epist.*, 146, *ibid.*, p. 591.
2. *P.L.*, 63, col. 430 A ; *Col. Avel. Epist.*, 145, p. 589 : « Dilectionis tuae confessionem gratanter accepimus, per quam sanctae synodi comprobantur, inter quas Chalcedonem... »
3. *P.L.*, 63, col. 455 ss. ; *Col. Avel. Epist.* 169, *C.S.E.L.*, vol. 35, pp. 624-626.
4. *P.L.*, 63, col. 475 C ; *Col. Avel. Epist.* 187, p. 644, 2.
5. *P.L.*, 63, col. 387 CD ; *Col. Avel. Epist.* 117, p. 523, 5, 6.
6. *P.L.*, 63, col. 497 D ; *Col. Avel. Epist.*, 233, p. 708. Ce qui est encore plus révélateur, sous ce rapport, c'est la déclaration des légats d'Hormisdas à Constantinople. Dans leur rapport au pape, en date du 29 juin 519, ils disent avoir déclaré en présence de l'Empereur et du Sénat : « Nous ne disons et n'ad-mettons rien en dehors des quatre conciles et des lettres du pape Léon. Nous n'acceptons rien qui ne soit contenu dans les synodes mentionnés ou qui ne soit écrit par le pape Léon » (*Col. Avel. Epist.*, 217, *C.S.E.L.*, vol. 35, p. 678 ; voir aussi *ibid.*, p. 686, la lettre du diacre Dioscore). Cf. aussi Y. CONGAR, « La primauté des quatre premiers conciles œcuméniques », dans *Le Concile et les conciles*, Paris-Chevetogne, 1960, pp. 75 ss.

Cette réconciliation avec Constantinople fit oublier
à Rome l'amertume qu'on y ressentait à l'époque de
Gélase et de Symmaque. Sans vouloir reconnaître expli-
citement à Constantinople la deuxième place dans la
hiérarchie, Rome était bien obligé de considérer Constantinople comme un siège majeur, et, *de facto*, comme
le plus important après Rome.

* *
*

Il se peut que cette acceptation de l'œcuménicité du
deuxième concile fournisse l'explication d'une curieuse
anomalie. Quand on se rappelle l'opposition de Léon
le Grand à l'élévation de Constantinople dans la hiérarchie de l'Église et les déclarations de Gélase et de
Symmaque, allant jusqu'à refuser de ranger Constantinople parmi les sièges majeurs, on est surpris de constater que la première collection canonique latine qui
nous ait été conservée, là *Prisca*, contienne aussi le
canon III du Concile de Constantinople, celui-là même
qui accordait au siège de la capitale la deuxième place
dans l'Église. On peut y lire [1] : « Constantinopolitanum
autem episcopum habere primatum honoris post Romanum episcopum, pro quod eam esse censemus iuniorem
Romam. »

L'auteur de cette collection était originaire d'Italie
et il fit sa compilation après le Concile de Chalcédoine,
vers la fin du ve siècle ou dans les premières années du
vi[e] siècle [2]. Il est intéressant de voir qu'à cette époque
les premiers conciles œcuméniques jouissaient à Rome
d'une telle considération que l'auteur de cette collection
se croyait obligé d'y insérer tous leurs canons, oubliant
que le temps n'était pas si loin où Rome rejetait la
promotion de Constantinople.

L'auteur de la *Prisca* utilisait une collection grecque

---

1. Voir l'édition par C. H. TURNER, *Ecclesiae occidentalis monumenta iuris
antiquissima*, Oxford, 1907, vol. 2, p. 418. Cf. *P.L.*, 56, col. 809.
2. C. H. TURNER, *ibid.*, p. 150. Cf. F. DVORNIK, « The See of Constantinople
in the First Latin Collections of Canon Law », dans *Mélanges G. Ostrogorski*
(Zbornik radova Vizant. Inst., Belgrade, 1963), pp. 97-101.

des décisions conciliaires qui contenait les canons votés
par les conciles généraux et les conciles locaux [1]. Sa
collection est plus ancienne que celle de Denys le Petit.
Celui-ci, qui était né en Scythie vers 470, mourut à
Rome en 550. Il y était arrivé avant 496, et c'est là qu'il
composa trois collections des canons conciliaires, se
servant lui aussi d'une collection grecque. Deux de ces
collections ont été conservées. Aussi bien dans l'une
que dans l'autre, on trouve le même canon du concile
de 381 sur le privilège de l'évêque de Constantinople [2].

La fameuse collection appelée par Alexandre III « le
corpus canonique authentique de l'Église d'Espagne »,
la collection *Hispana*, fut composée avant le quatrième
synode de Tolède (633), et c'est au cours de celui-ci
qu'elle fut mise au point [3]. En plus des canons conciliaires elle contient les décrétales des papes, depuis
Damase jusqu'à Grégoire le Grand ; on y ajouta les
décrétales des autres papes, jusqu'à Léon II (682). A
partir du ixe siècle cette collection fut appelée *Isidoriana* et attribuée à Isidore de Séville, né vers 560 et
mort en 633. Cette attribution est contestée par la
plupart des spécialistes, mais on peut accepter l'opinion
selon laquelle Isidore aurait exercé une influence sur
sa rédaction définitive.

La collection des canons conciliaires qu'on trouve
dans l'*Hispana* est fondée sur la *Dionysiana*. Rien de
surprenant donc à ce que l'on trouve également, dans
les manuscrits de l'*Hispana*, le canon III du concile
de 381, rédigé de la façon suivante : « Constantinopolitanae vere civitatis episcopum habere primatus hono-

---

1. Pour plus de détails, voir F. MAASSEN, *Geschichte der Quellen und der
Literatur des canonischen Rechts im Abendlande*, Graz, 1870, réimprimé en 1956,
pp. 87-100. Sur les mss. de la *Prisca*, voir TURNER, *op. cit.*, p. 150.

2. TURNER, *op. cit.*, p. 419. L'édition a été faite par A. STREWE, *Die Canones-
samlung des Dionysius Exiguus in der ersten Redaktion*, Berlin-Leipzig, 1931
(Arbeiten zur Kirchengeschichte, vol. 16), p. 61. Les canons 2 et 3 (MANSI, 3,
col. 559) y sont réunis en un seul, le canon 2. On y lit : « Verumtamen Constan-
tinopolitanus episcopus habeat honorem primatum praeter Romanum episcopum, propterea quod urbs ipsa sit junior Roma. » Cf. aussi MAASSEN, *op. cit.*,
pp. 103 ss.

3. Voir R. NAZ, « Hispana ou Isidoriana collectio », dans *Dictionnaire de
Droit canonique*, Paris, 1953, vol. 5, col. 1159-1162.

rem post Romanum episcopum, propter quod sit nova Roma [1]. »

Pour expliquer la présence de ce canon III dans la collection de Denys, M. Peitz a émis l'hypothèse que la réconciliation définitive entre Byzance et Rome, après le schisme d'Acace, n'aurait eu lieu qu'en 520-521, lorsque les envoyés du patriarche Épiphane se trouvaient à Rome, porteurs d'une lettre d'intronisation du prélat. Des quelques déclarations des Orientaux il conclut que les Byzantins auraient reconnu la juridiction suprême de Rome sur Constantinople et sur l'Orient, et Rome, en compensation pour ce geste, aurait accepté le canon III du concile de 381, reconnaissant en même temps l'œcuménicité de ce concile, sous la réserve toutefois que les Byzantins abandonnent le canon XXVIII de Chalcédoine [2].

Cette explication, quoique fort séduisante, ne peut malheureusement être acceptée. L'objection décisive qu'on peut y faire, c'est qu'on ne trouve absolument rien à ce sujet dans les sources contemporaines. L'auteur est obligé de confesser lui-même [3] qu'aucun protocole n'a été composé sur les négociations menées à Rome pendant l'hiver 520-521. Aucun document n'a été

---

1. Turner, *op. cit.*, p. 418. Sur les Mss. de l'*Hispana*, non encore publiée, voir *ibid.*, pp. 402-403. Cf. aussi Maassen, *op. cit.*, pp. 667-716 et P. Fournier-G. Le Bras, *Histoire des collections canoniques en Occident*, Paris, 1931, vol. 1, pp. 100 ss. Une édition critique de l'*Hispana* est en préparation. La collection eut également une grande influence en Gaule. Dans l'*Epitome Hispana*, il semble que le canon III du deuxième concile ne soit pas cité (cf. Turner, *op. cit.*, p. 419). M. Peitz a émis l'hypothèse que Denys aurait composé, sur l'invitation du pape Gélase, une collection des canons des conciles orientaux, utilisant les protocoles conservés dans les archives pontificales. Il y aurait ajouté les canons du deuxième et du quatrième conciles œcuméniques et les 138 canons africains. A cette collection primitive, achevée vers 500, ont aussi été ajoutés les 50 canons apostoliques. Selon Peitz, Denys modifia cette collection à plusieurs reprises et l'augmenta en y ajoutant les décrétales pontificales jusqu'en 384. Ce fut cette collection, toujours d'après Peitz, que le pape Hormisdas envoya aux évêques espagnols et qui devint l'*Hispana*. En dépit d'une documentation considérable, grâce à laquelle il s'est efforcé de consolider sa thèse, dans son étude *Dionysius Exiguus Studien* (éd. par H. Foerster, Berlin, 1960, Arbeiten zur Kirchengeschichte, vol. 33), Peitz n'a échafaudé qu'une théorie sans base solide.
Sur les collections canoniques aux vᵉ et vIᵉ siècles, cf. W. M. Plöchl, *Geschichte des Kirchenrechts*, Vienne-Munich, 1953, vol. 1, pp. 251 ss.
2. *Op. cit.*, pp. 273-316.
3. *Op. cit.*, p. 308. L'auteur prétend qu'on avait pleine confiance dans la probité et l'honnêteté des envoyés grecs. C'est une supposition étrange et qui, de toute façon, ne légitime nullement l'absence d'une documentation écrite.

préparé pour être signé par les deux parties. Cela ne
correspond pas du tout aux traditions de la chancellerie
pontificale. Surtout après l'expérience du schisme
d'Acace, Rome avait toute raison de se tenir sur ses
gardes et de ne pas se contenter d'une promesse verbale
en une matière aussi importante. S'il y avait eu un
accord de ce genre, si Constantinople avait été officiellement reconnu comme second siège patriarcal, immédiatement après Rome, comment pourrait-on expliquer
que les thèses de Léon le Grand, de Gélase et de Symmaque, opposées à cette situation de Constantinople
dans la hiérarchie, pouvaient être reprises quand il y
avait une nouvelle tension entre l'Orient et l'Occident,
comme cela s'est produit au ɪxe siècle sous Nicolas Iᵉʳ
et au xɪe siècle sous Léon IX.

En somme, il ne nous reste donc plus qu'à nous
contenter de l'explication donnée plus haut. Bien que
la position de Constantinople n'ait pas été reconnue
officiellement, le fait que le concile de 381 ait été accepté
comme œcuménique est, pour les canonistes latins, une
raison suffisante pour accepter tous ses canons. N'oublions pas non plus que ces collections étaient l'œuvre
de canonistes privés qui ne prétendaient pas imposer
leurs travaux à toute l'Église.

Cette anomalie apparente s'explique d'autant mieux
si nous considérons que le pape Damase n'a jamais
protesté contre le canon III du concile de 381. Quant à
Léon le Grand, il ne s'alarmait pas tant de ce canon
qui n'accordait à Constantinople qu'une place tout
honorifique [1], mais bien plutôt du canon XXVIII de
Chalcédoine qui conférait à Constantinople la juridiction
sur trois diocèses entiers et en faisait ainsi une dangereuse rivale de Rome. On pensait généralement jusqu'à
nos jours que Rome avait rejeté en 382 le canon III
de 381, et cette conviction a peut-être influencé M. Peitz
lui-même et l'a conduit à rechercher une explication

---

1. Pendant la dernière session de Chalcédoine, Eusèbe, évêque de Dorylée,
déclara qu'en cette même année 451, pendant son séjour à Rome, il avait récité
le canon III de 381 au pape, qui l'avait approuvé. Cf. Mansɪ, 7, col. 449, éd.
E. Schwartz, t. II, vol. 1, 3ᵉ part., p. 97.

satisfaisante à cette apparente anomalie. En réalité, l'explication de cette énigme est beaucoup plus simple. Sachant que Rome n'avait élevé aucune protestation contre ce canon, les canonistes du vᵉ et du vɪᵉ siècle estimaient parfaitement légitime de l'insérer dans leurs collections.

*
* *

Un autre détail mérite d'être souligné. Quoique la collection de Denys le Petit ne contienne que les 27 canons du Concile de Chalcédoine et omette le canon XXVIII, et quoique la plupart des manuscrits de ces premières collections fassent de même, deux manuscrits au moins de la *Prisca* ont cependant combiné le canon III du Concile de Constantinople avec le canon XXVIII de Chalcédoine. De plus, dans ces manuscrits, les canons de Constantinople font suite à ceux de Chalcédoine. Les deux collections qui comportent cette version et que l'on trouve dans le manuscrit de Chieti et dans celui de Justel sont très anciens. Ils datent du vɪᵉ siècle et sont tous deux de provenance italienne [1].

L'explication donnée par F. Maassen est satisfaisante. Les deux compilateurs se seraient servis d'un manuscrit grec qui donnait d'abord le texte des 27 canons de Chal-

---

1. Cf. F. MAASSEN, *op. cit.*, pp. 94-99, 526-536. Le Ms. de Chieti est reproduit dans *P.L.*, 56. Le passage en question se trouve col. 809-810. Le voici : « Concernant le primat de l'Église de Constantinople le saint synode a déclaré : Nous conformant en tout aux décrétales des saints Pères, et ayant pris connaissance du canon décidé par plus de cent cinquante évêques, voici ce que nous avons décrété sur le primat de la sainte Église de la ville de Constantinople, la nouvelle Rome, étant donné que les saints Pères ont donné le primat au siège de la grande Rome en raison de sa situation lorsqu'elle régnait. De même, confirmant en cela la décision de cent cinquante vénérables Pères, nous donnons le primat à la nouvelle Rome, jugeant avec raison que la ville qui est honorée de la présence de la royauté et du sénat doit aussi obtenir confirmation de son primat après la grande Rome et doit être aussi élevée que Rome dans les affaires ecclésiastiques. Nous estimons qu'elle doit être la seconde après elle, et nous accordons que ses métropolitains gouvernent sur le Pont, l'Asie et la Thrace. Que les évêques se trouvant dans les pays barbares soient incardinés dans les paroisses par le siège mentionné plus haut. De même, que chaque métropolitain, dans les paroisses mentionnées, ordonnent des évêques selon les prescriptions des canons divins. » Le texte du canon contenu dans cette collection diffère du texte original qui se trouve dans MANSI, 7, col. 369. Les deux dernières phrases de la traduction latine ne sont pas très claires. Cf. la traduction française du canon original dans M. JUGIE, *Le Schisme byzantin*, Paris, 1941, pp. 12-13.

cédoine puis, avant de donner le canon XXVIII, énu-
mérait les canons de Constantinople. Il semble, si l'on
considère le contenu de ce canon XXVIII, qu'avant
de le définir, pendant la quinzième session du concile,
on commença par lire les canons de Constantinople
qui, à cette époque, n'étaient pas encore numérotés.
Le canon III de Constantinople servait, en effet, d'introduction aux décisions du canon XXVIII.

Il est intéressant de constater, en tout cas, que deux
collections, fondées sur la *Prisca*, contiennent ce canon
si contesté par les papes, depuis Léon le Grand jusqu'à
Hormisdas. On peut en conclure que ce canon XXVIII
devait figurer, dès la fin du ve siècle ou au début du vi^e,
dans quelques collections grecques des canons conciliaires et que ces collections étaient connues en Italie [1].
Le fait que deux compilateurs italiens n'aient pas hésité
à recopier ce canon montre bien que l'opposition à
Constantinople et à ses prétentions dans l'ordre hiérarchique n'était pas en Italie aussi générale qu'on le
croyait. Dans les milieux ecclésiastiques on ne partageait
pas toujours les inquiétudes que nourrissait la Curie à
l'égard de Constantinople [2].

Le premier grand malentendu entre Rome et Byzance,
le schisme d'Acace, s'était donc heureusement terminé
dans une entente cordiale, et le prestige de Rome, sans
aucun doute, s'en était trouvé considérablement grandi
aux yeux des Byzantins. Bien que les déclarations sur
la primauté romaine contenues dans le *Libellus Hormisdae* aient certainement parues trop « fortes » aux
membres de la hiérarchie grecque, tous les évêques
néanmoins l'ont signé. Par ailleurs, la présence du
canon III de 381 dans les premières collections de
canons conciliaires en Occident montre que l'animosité
anti-byzantine avait décru dans l'Église romaine.

---

1. Ce fait paraît affaiblir encore la thèse de M. Peitz.
2. Il semble que cela soit particulièrement vrai pour l'Italie du Sud où l'influence byzantine était plus forte. On remarquera que le manuscrit de Chieti
est d'origine napolitaine.

CHAPITRE IV

JUSTINIEN ET ROME
GRÉGOIRE LE GRAND ET JEAN IV

Justinien, le pouvoir impérial et le sacerdoce. — Rome dans la législation de Justinien. — Les Trois Chapitres. — Origine de l'idée pentarchique. — Ruine de l'œuvre de Justinien, perte de l'Illyricum. — Grégoire le Grand et le titre de patriarche œcuménique.

Le grand artisan de cette entente fut Justinien (527-565) [1]. Il est certain que ses efforts pour réconcilier Rome et Byzance furent inspirés par son rêve ambitieux de libérer Rome et l'Italie de la domination des Goths et de rendre à l'Empire romain son antique splendeur. C'était là une ambition politique et, pour la réaliser, il avait besoin de l'appui du pape. Mais il serait inexact de dire que sa faveur à l'égard de Rome n'avait pas d'autre raison. Le renouvellement de l'Empire romain allait de pair avec le renouvellement des anciennes traditions, avec la renaissance des idées sur la monarchie terrestre miroir de la monarchie céleste, sur l'Empereur représentant de Dieu, idées qui étaient celles de l'Hellénisme chrétien, mais ce renouvellement conduisait aussi à souligner l'idée romaine, base idéologique de l'Empire.

Après avoir détruit la domination gothique en Italie

---

1. Sur la politique religieuse de Justinien, voir E. STEIN, *Histoire du Bas-Empire*, pp. 369-417, 623-690. Sur ses relations avec le pape Agapet Ier, à qui il accorda, en 536, le privilège d'ordonner le nouveau patriarche de Constantinople, voir l'étude de W. ENSSLIN, « Papst Agapet I. und Kaiser Justinian I. », dans *Historisches Jahrbuch*, 77 (1950), pp. 459-466.

et la domination vandalique en Afrique, Justinien
ramena Rome et son Église à l'Empire. Il désirait que
cette situation demeurât permanente. Il estimait également nécessaire de faire cesser pour toujours la rivalité
existant entre les deux capitales de son Empire, Rome
et Byzance, et voulait harmoniser les vieux idéaux de
l'Hellénisme chrétien dont s'inspiraient toujours les
fidèles, surtout en Orient, et les nouveaux courants
religieux et politiques qui s'étaient manifestés, surtout
à Rome, durant le schisme qui venait de se liquider.

C'est dans cette perspective qu'il nous faut regarder
toutes les initiatives de la législation politico-religieuse
de Justinien. Tout d'abord la définition classique du
pouvoir impérial — la *basileia* — et du pouvoir spirituel
— le *sacerdotium* — qu'il a donnée dans sa novelle VI,
publiée le 6 mars 535 [1] : « Les plus grands dons que Dieu,
en sa bonté infinie, ait faits aux hommes sont le *sacerdotium* et l'*imperium*. Le sacerdoce prend soin des
intérêts divins, l'empire des intérêts humains dont il a
la surveillance. Tous deux émanent d'un même principe
et conduisent la vie humaine à sa perfection. C'est
pourquoi les empereurs n'ont rien de plus à cœur que
l'honneur des prêtres, car ceux-ci prient continuellement
Dieu pour eux. Quand le clergé a un esprit juste et se
confie entièrement en Dieu, quand l'Empereur gouverne
la république qui lui est confiée, alors une harmonie en
résulte qui est très profitable au genre humain. Ainsi
donc, les vrais dogmes divins et l'honneur du clergé sont
en tête de nos préoccupations. »

Bien que Justinien manifeste ici sa pleine adhésion
aux idéaux de l'Hellénisme chrétien tel qu'il était conçu
par les premiers philosophes politiques du temps de
Constantin le Grand, bien qu'il ne renonce nullement
à son droit de veiller sur l'Église et sur le maintien des
« vrais dogmes divins », il fait néanmoins ici une grande
concession au sacerdoce, en le plaçant presque au même

---

1. Ed. G. KROLL, *Corpus iuris civ.*, vol. 3, pp. 35 ss. Sur les relations de Justinien avec le siège apostolique de Rome, voir surtout P. BATIFFOL, *Cathedra
Petri*, Paris, 1938, pp. 210-213, 249-319.

niveau que le pouvoir impérial. Le prestige du sacerdoce avait en effet grandi pendant la crise du ve siècle, grâce à la courageuse défense de ses droits dans la définition de la foi. On ne peut pas oublier la déclaration de Gélase sur le rapport entre les deux pouvoirs [1].

* *
*

Si Justinien voulait restaurer l'Empire romain, il lui fallait donner à Rome sa place d'honneur dans l'Empire. La Cité devait continuer à rester le centre du christianisme, comme elle avait été autrefois le centre de l'Empire et la résidence de l'empereur. C'est ce privilège de Rome que Justinien avait en vue lorsqu'il déclarait dans sa novelle IX de mai 535 [2] : « La vieille cité de Rome a l'honneur d'être la mère des lois, et il n'est personne qui puisse douter que chez elle se trouve la cime du souverain pontificat. C'est pourquoi nous avons cru nécessaire, nous aussi, d'honorer ce berceau du droit, cette source du sacerdoce, par une loi spéciale de notre volonté sacrée... »

De plus, dans sa lettre au pape Jean II, l'Empereur appelait l'Église de Rome « caput omnium ecclesiarum [3] ». Dans sa lettre au patriarche Épiphane, reproduite dans la Constitution sur la Trinité [4] — un document très officiel — l'Empereur déclarait : « Nous avons condamné Nestorius et Eutychès, prescrivant de garder en tout l'unité des saintes Églises avec le très saint pape et patriarche de la vieille Rome... Car nous ne pouvons pas tolérer que rien de ce qui concerne l'ordre ecclésiastique ne soit rapporté à sa sainteté, puisqu'il est la tête de tous les très saints prêtres de Dieu, et puisque, chaque fois qu'il s'est levé des hérétiques de nos côtés, c'est par une sentence et le droit jugement de ce vénérable siège qu'ils ont été condamnés. »

1. Voir plus haut, p. 52.
2. Éd. G. KROLL, *ibid.*, p. 91.
3. *P.L.*, 66, col. 15 ; *Cod. Just.*, I, 1, 8, *Corpus iur. civ.*, vol. 1, p. 11.
4. *Cod. Just.*, I, 1, 7, *ibid.*, p. 8.

Dans le même ordre d'idées nous pouvons citer une déclaration similaire, plus catégorique encore, qui se trouve dans le Code de Théodose [1]. C'est l'introduction à la novelle XVII, publiée par l'empereur Valentinien le 8 juillet 445, et dont s'inspira probablement Justinien. La novelle était dirigée contre les prétentions d'Hilaire, l'évêque d'Arles, qui, sans la permission du pape, voulait étendre sa juridiction en dehors de son propre diocèse. On y lit : « Puisque la primauté du siège apostolique a été confirmée par les mérites de S. Pierre, le prince de la couronne épiscopale, par la dignité de la cité de Rome, et aussi par l'autorité des saints synodes, qu'on n'ait pas la présomption de chercher à faire quelque chose d'illicite en dehors de l'autorité de ce siège. Car la paix des Églises sera finalement partout préservée, là où l'univers s'assujétit à son recteur suprême. »

Ce sont là déclarations authentiques et importantes. C'est donc à cette lumière qu'il faut considérer la fameuse déclaration de Justinien dans la novelle CXXXI [2] : « Nous décrétons, suivant les décisions des conciles, que le très saint pape de l'ancienne Rome est le premier de tous les hiérarques et que le saint archevêque de Constantinople — la nouvelle Rome — occupe le second siège, après le saint et apostolique siège de Rome mais avec la préséance sur tous les autres sièges. »

Cette déclaration ne doit pas être considérée comme défavorable à Rome. Justinien voulait mettre définitivement fin à la jalousie entre les deux sièges et stabiliser l'ordre ecclésiastique. Selon l'idéologie du temps, cela ne pouvait avoir lieu que par un acte de législation impériale.

Il faut également souligner que Justinien n'entendait nullement abandonner son droit impérial en matière religieuse. D'ailleurs ce droit, en son principe, n'était pas dénié par les papes. Rappelons-nous la lettre de

---

1. *Codex Theodosianus*, ed. Th. MOMMSEN, P. M. MEYER, Berlin, 1905, vol. 2 (Leges Novellae), pp. 102. Sur Hilaire, cf. E. CASPAR, *Geschichte des Papsttums*, vol. 1, pp. 446 ss. Valentinien essaie de combiner, dans sa novelle, le principe d'apostolicité et le principe d'accommodement.

2. Éd. G. KROLL, *Corp. iur. civ.*, vol. 3, p. 655.

Jean II à Justinien dans laquelle le pape approuve l'édit
du 15 mars 533 sur la proposition théologique : « Une
des personnes de la Trinité *(unus Trinitatis)* a été
crucifiée [1]. » Le pape Agapet, lui aussi, exprima sa
satisfaction de voir l'orthodoxie de l'Empereur et son
désir de ramener tous ses sujets à la vraie foi ; il rappela
néanmoins à l'Empereur que la prédication de cette foi
était le devoir des prêtres [2]. Le pape Vigile également,
au début de son pontificat, rendit grâce à Dieu d'avoir
donné à Justinien « non seulement une âme impériale,
mais aussi une âme sacerdotale [3] ».

Cependant l'Empereur devait apprendre que les
nouveaux courants qui se manifestaient dans la spéculation politico-religieuse étaient plus puissants qu'il ne
le pensait et que le sacerdoce était plus que jamais
décidé à défendre ses droits. Sa plus grande intrusion
dans le domaine théologique fut sa condamnation des
« Trois Chapitres » [4]. Bien qu'il ait été guidé dans cette
condamnation par son désir de ramener tous ses sujets
à la vraie foi, telle qu'elle avait été définie à Chalcédoine,
et bien que cette condamnation pût se concilier avec
la doctrine catholique, cette initiative impériale provoqua dans l'Église une véritable tempête. Ce furent
les Africains qui protestèrent le plus violemment, et
le pape Vigile fut obligé de donner tort à l'Empereur.
Justinien reconnut finalement son erreur et, pour pacifier
les esprits, il dut donner satisfaction au sacerdoce en
convoquant le cinquième concile. Dans son décret de
convocation il définissait ainsi le rôle du sacerdoce et de
l'*imperium* [5] : « Nos orthodoxes et impériaux ancêtres,
pour contrebattre chaque hérésie quand elle apparais-
sait, avaient coutume de se servir de prêtres très zélés,
réunis en concile, et de préserver ainsi la paix de l'Église
par la proclamation de la vraie foi. » L'acceptation du

---

1. *Cod. Just.*, I, 1, 8, *Corp. iur. civ.*, vol. 1, p. 10 ; voir *P.L.*, 66, col. 17 ss.
2. *P.L.*, 66, col. 37 ; *collectio Avellana*, lettre 91, p. 343.
3. Mansi, 9, col. 35.
4. Pour plus de détails sur cette controverse, voir l'excellente étude de
E. Amann dans *Dict. de théol. cathol.*, Paris, 1950, vol. 15, col. 1868-1924.
5. Mansi, 9, col. 178 ss.

décret de convocation par le pape Vigile acheva de
liquider cette affaire.

* *
*

Les nouveaux courants qui apparaissaient dans la
spéculation politico-religieuse avaient laissé une autre
trace dans la mentalité byzantine. Nous avons vu que
l'insistance de Rome à défendre le principe d'apostolicité dans la vie de l'Église avait impressionné les
Orientaux. Cela explique l'origine de l'idée selon laquelle
la direction des affaires dogmatiques et religieuses
devait être remise aux mains de cinq sièges patriarcaux
dont les évêques représenteraient le *sacerdotium*. Ainsi
naquit l'idée de la pentarchie, c'est-à-dire de la direction
de l'Église par les cinq patriarches. Elle est esquissée
pour la première fois dans la législation de Justinien.
En trois occasions au moins l'Empereur fait une claire
allusion aux cinq « archevêques et patriarches », noti-
fiant qu'ils auraient à faire connaître ses lois et mesures
à tous les métropolitains de leurs diocèses et à veiller
à ce qu'elles soient rigoureusement observées [1]. A ce
point de vue la novelle CIX est particulièrement importante, car l'Empereur semble y combiner l'idée de
l'origine apostolique de l'Église avec la pentarchie.

Si nous ne perdons pas de vue les novelles dans lesquelles l'Empereur accorde une place prépondérante
au titulaire du siège de Rome, nous devons en conclure
que l'idée de la pentarchie n'avait, à l'origine, aucune
intention antipapale. Son apparition est due à l'influence exercée dans l'Église d'Orient par le prestige
grandissant du *sacerdotium* et l'idée d'apostolicité. Elle
devait, plus tard, aider les Orientaux dans leur lutte
pour limiter les interventions impériales en matière
de foi [2].

Les historiens ont souvent critiqué Justinien pour ses
idées politico-religieuses. Pourtant, nous l'avons vu,

---

1. Novelle CIX, praefatio, *Corpus iuris civil.*, 3, p. 518. Cf. aussi novelle
CXXIII, 3, *ibid.*, p. 597 et novelle VI, epilogus, *ibid.*, p. 47.
2. Cf. plus loin, p. 89 ss.

ses idées sur les relations de l'*imperium* et du *sacerdotium*, de même que ses idées sur la place de Rome dans l'Église et dans l'Empire, n'étaient qu'une déduction logique de l'évolution antérieure. Contrairement à ce qu'on a souvent pu dire, les deux grands centres religieux, Rome et Constantinople, auraient pu trouver, dans ses ordonnances relatives à leur situation dans la chrétienté, une base solide pour une collaboration harmonieuse selon l'esprit de l'Hellénisme chrétien, mitigé par les progrès que le prestige du sacerdoce et l'idée d'apostolicité avaient opérés dans la mentalité byzantine.

* *
*

Malheureusement des événements politiques imprévus ruinèrent l'œuvre de Justinien. L'Italie du Nord fut envahie par les Lombards, une tribu germanique, et les provinces florissantes de l'Illyricum furent dévastées par les invasions des Avares, un peuple de race turque, et par des Slaves. De plus, les Arabes avaient occupé la Syrie, la Palestine et l'Égypte. L'Empire se trouvait réduit à l'Asie Mineure, à la Grèce et aux ports de la Thrace, de la Macédoine, de la Dalmatie et de l'Italie.

On connaît la théorie du célèbre historien belge H. Pirenne [1] selon laquelle ce fut l'occupation des provinces orientales par les Arabes et leur contrôle des voies maritimes reliant l'Orient et l'Occident qui provoqua la rupture des relations économiques et culturelles entre Byzance et l'Occident. Sa découverte fit sensation dans le monde scientifique, parce qu'elle semblait fournir l'explication de la crise de civilisation qui se manifesta à cette époque. Mais d'autres historiens ont relevé de nombreux points faibles dans cette thèse et font appel à d'autres causes pour expliquer ce phénomène [2]. Quoi qu'il en soit, on ne doit pas oublier un

---

1. *Mahomet et Charlemagne*, Bruxelles, 1937, 2ᵉ éd.
2. Ces critiques ont été rééditées par A. F. Havighurst dans le symposium *The Pirenne Thesis. Analysis, Criticism, and Revision*, Boston, 1958.

facteur important qui vient en complément de la thèse
de Pirenne et donne en même temps satisfaction aux
critiques, je veux dire la destruction de l'Illyricum par
les Avares et les Slaves [1]. A l'époque romaine et byzantine, le diocèse d'Illyricum comprenait la Pannonie,
la Dalmatie, et toutes les autres provinces européennes
jusqu'au Péloponèse, à l'exception de la Thrace ; elle
comprenait donc la population latine et grecque qui,
dans l'organisation ecclésiastique, se trouvait sous la
juridiction romaine. Les invasions avares détruisirent
ce pont qui existait entre le monde latin et le monde
grec, et l'occupation de la plus grande partie de l'Illyricum par des tribus slaves bloqua pour des siècles
cette voie de communication entre l'Orient et l'Occident.

En même temps les Byzantins se voyaient forcés, en
raison des invasions perses et arabes, à concentrer de
plus en plus leur attention sur l'Orient et l'Asie Mineure,
la seule réserve qui leur était restée pour leur vie économique et leur force militaire. Les conséquences naturelles
de cette situation furent que les éléments hellénistiques
et orientaux prirent, dans la civilisation et la vie religieuse byzantines, une place prépondérante [2].

Par ailleurs, les invasions germaniques dans les provinces occidentales de l'Empire firent pénétrer des
éléments étrangers au sein de la civilisation romaine.
En christianisant ces nations nouvelles les missionnaires
romains durent accepter et respecter leurs traditions
nationales, qui ne s'opposaient pas directement aux
principes chrétiens mais ne correspondaient pas toujours
aux traditions romaines. Il en résulta que Constantinople et Rome évoluèrent dans des directions différentes.

L'éloignement qui s'ensuivit eût pu être évité si le
pont de l'Illyricum n'avait pas été détruit. Mais la
disparition et la déchristianisation des provinces latines
de l'Illyricum, leur occupation par des éléments bar-

---

1. Voir mon livre *The Slavs, their early History and Civilization*, Boston, 1956, pp. 42 ss., 118 ss.
2. Cf. F. DVORNIK, « Quomodo incrementum influxus orientalis in imperio byzantino s. VII-IX dissensionem inter ecclesiam Romanam et Orientalem promoverit », dans *Acta conventus Pragensis pro studiis orientalibus*, Olomouc 1930, pp. 159-172.

bares, et la perte de la domination maritime de l'Empire
en méditerranée, tout cela fit que la compénétration
des idées nouvelles entre l'Orient et l'Occident fut
presque impossible. C'est dans ces faits qu'il faut
rechercher les causes de l'éloignement qui s'opéra entre
l'Orient et l'Occident à partir de cette époque et qui,
finalement, devint fatal à la chrétienté.

*
* *

Cet éloignement ne se fit d'ailleurs sentir qu'à la fin
du VIIe siècle et dans le cours du VIIIe. Jusqu'à cette
époque l'ordre ecclésiastique, stabilisé par Justinien,
continua à être respecté. Le règne du pape S. Grégoire
le Grand (590-604) est particulièrement significatif à cet
égard. Bien qu'il ne pût compter sur l'aide de l'empereur Maurice (582-602) qui menait une lutte désespérée
contre les Perses, les Avares et les Slaves, et bien que,
pour protéger le reste de l'Italie contre les Lombards,
il ait dû agir presque comme un souverain, Grégoire
demeura fidèle à l'Empereur et continua à regarder
l'Empire romain comme l'expression politique de l'universalité de l'Église. Voici comment il exprime ses idées
sur les relations du *sacerdotium* et de l'*imperium* [1] :
« Quoi que fasse l'Empereur, si c'est en accord avec la
loi canonique, nous le tolérons autant qu'il est possible
de le faire sans péché. » Avec de telles convictions il
était tout naturel qu'il annonçât à l'Empereur la conversion des Anglo-Saxons [2] et lui demandât la permission
d'envoyer le pallium à l'évêque d'Autun, Syagrius,
pour satisfaire au désir de la reine franque Brunihilde [3].
Les relations entre Rome et Byzance furent définies
par Grégoire dans une lettre à l'évêque de Syracuse,
Jean [4] : « En ce qui concerne le siège de Constantinople,
et quoi qu'on en dise, qui peut douter qu'il ne soit
soumis au siège apostolique ? Cela a toujours été reconnu

---

1. Lettre au diacre Anatole, *P.L.*, 77, col. 1167, *Epistolae*, liber II, ep. 47.
Cf. H. E. FISCHER, « Gregor der Grosse und Byzanz », dans *Zeitschrift der Savigny
Stiftung*, Kanon, Abt., vol. 36 (1950), pp. 129-144.
2. *Epistolae*, liber XI, ep. 29 ; *P.L.*, 77, col. 1142.
3. *Epistolae*, liber IX, ep. 11 ; *P.L.*, 77, col. 952.
4. *Epistolae*, liber IX, ep. 12 ; *P.L.*, 77, col. 957.

par le très pieux Empereur et par notre frère l'évêque
de cette cité. »

Cet évêque de Constantinople était, alors Jean IV
le Jeûneur (582-595). C'est à cette lumière qu'il nous
faut maintenant examiner un nouvel incident qui
s'était déjà produit sous Pélage II (579-590) [1], le prédécesseur de Grégoire. Pélage avait été scandalisé en
apprenant que Jean IV s'attribuait le titre du patriarche œcuménique. Grégoire le Grand protesta de
nouveau [2], et on dit qu'il introduisit dans la titulature
papale le titre « servus servorum Dei, serviteur des
serviteurs de Dieu », pour contrebalancer le titre assumé
par le patriarche [3].

On comprend l'appréhension éprouvée par les historiens de l'Église à l'emploi d'un pareil titre par le patriarche de Constantinople. Il en est certains qui pensent
que l'emploi de ce titre doit être interprété comme une
prétention à une juridiction universelle. En réalité il
n'en est rien. Ce titre avait déjà été donné en 449 à
l'évêque d'Alexandrie, Dioscore [4]. Au Concile de Chalcédoine, à plusieurs reprises, le pape Léon avait été
honoré du même titre [5]. Les papes Hormisdas et Agapet
avaient été également salués par les prélats orientaux
comme patriarches œcuméniques [6].

A Constantinople ce titre était en usage depuis le
début du VIe siècle. Il avait été donné au patriarche
Jean II [7], à ses successeurs Épiphane, Anthime et
Ménas [8]. La plupart du temps ce titre est donné par

---

1. Nous l'apprenons par les lettres de Grégoire.
2. Voir ses lettres à Jean le Jeûneur, à l'impératrice Constantina, à l'empereur
Maurice et aux patriarches Euloge d'Alexandrie et Anastase d'Antioche :
Epistolae, lib. V, ep. 18, 20, 21, 43 ; *P.L.*, 77, col. 738, 745, 749, 771. Cf.
H. E. FISCHER, *op. cit.*, pp. 97-110.
3. Cela ne semble pas correspondre tout à fait à la vérité. Grégoire n'a pas
inventé ce titre et il l'utilisait déjà quand il était simple moine et diacre. Cf.
l'étude détaillée de S. VAILHÉ, « Saint Grégoire le Grand et le titre de patriarche
œcuménique », dans *Échos d'Orient*, 11 (1908), pp. 65-69, 161-171.
4. MANSI, 6, col. 855.
5. *Ibid.*, col. 1005, 1012, 1021, 1029. Cf. mon livre *The Idea of Apostolicity*,
pp. 79-80.
6. MANSI, 8, col. 425, 895.
7. *Ibid.*, col. 1038, 1042, 1058, 1059, 1094, 1066, 1067.
8. *Cod. Justin.*, liber I, tit. 1, lex. 7, éd. KRUEGER, vol. 2, p. 8 ; liber I, tit. 4,
lex. 34, *ibid.*, p. 47 ; novelles 3, 5, 6, 7, 16, 42, 55, 56, 57, éd. SCHOELL, KROLL,
vol. 3, pp. 18, 28, 35, 48, 115, 263, 308, 311, 312.

Justinien, dans ses novelles et ses décrets, aux patriarches qu'il mentionne. Si l'on compare la manière dont Justinien emploie ce titre et ce qu'il dit dans ces décrets sur le pape et sur les autres patriarches, on a l'impression que ce titre n'exprimait rien d'autre que le pouvoir suprême d'un patriarche dans les limites de son patriarcat [1].

Il semble donc que l'attribution que les patriarches de Constantinople se faisaient de ce titre n'était qu'une simple application du principe d'accommodement. Le titre n'exprimait sans doute que la position suprême que Constantinople occupait en Orient [2]. Il ne faut pas y voir une intention d'usurper la juridiction sur l'Église universelle et de refuser à Rome la primauté.

Grégoire lui-même, d'ailleurs, n'y voyait aucunement une attaque contre la primauté de son siège. Il déclarait lui-même, dans une lettre que nous avons citée plus haut, que Jean le Jeûneur reconnaissait que le siège de Constantinople était soumis au siège de Rome. De plus, Jean IV donna au pape une autre preuve de sa soumission en permettant au prêtre Jean de Chalcédoine et au moine Athanase d'en appeler de son tribunal à celui de Rome et en envoyant au pape les pièces justificatives de leur procès [3]. Grégoire prit même une décision définitive dans ce procès, en demandant que Jean soit rétabli dans sa dignité en raison de son innocence et en recommandant l'indulgence pour le moine Athanase en considération de sa bonne volonté et de son repentir.

La protestation élevée par Grégoire contre l'emploi du titre de « patriarche œcuménique » trouve peut-être

---

1. Cela paraît ressortir également des lettres adressées par l'empereur Constantin IV (668-678) au pape Donus et au patriarche Georges Ier à propos de la convocation du sixième concile. A tous deux, il donne le titre d'« œcuménique ». Dans sa lettre au pape il reconnaît le caractère apostolique du siège de celui-ci (Mansi, vol. 11, col. 196, 197, 201).

2. Sur l'emploi de ce titre par les patriarches, voir V. Grumel, « Le titre de patriarche œcuménique sur les sceaux byzantins », dans *Revue des Études grecques*, 58 (1945), pp. 212-218 ; V. Laurent, « Le titre de patriarche œcuménique et la signature patriarcale », dans *Revue des Études byzantines*, 6 (1948), pp. 5-26. Sur la controverse, cf. P. Batiffol, *S. Grégoire le Grand*, Paris, 1928, pp. 204-211 ; S. Vailhé, « Constantinople », dans *Dict. d'Hist. et de Géogr. ecclés.*, vol. 13, Paris, 1953, col. 643-645. Cf. aussi E. Caspar, *Geschichte des Papsttums*, vol. 2, pp. 366 ss. 452 ss.

3. *Epistolae*, lib. VI, ep. 15-17, *P.L.*, 77, col. 807 ss.

sa meilleure explication dans le caractère d'ascète de
ce grand saint. De ses lettres il ressort qu'il y voyait
avant tout l'expression d'un orgueil qui nuisait à la
dignité du prêtre. Seul Jésus-Christ, pensait-il, est le
Maître universel, et il n'y a que l'Église entière, s'éten-
dant sur tout l'univers, qui peut s'appeler « œcuménique ». Il n'entendait faire à son confrère de Constantinople qu'une sorte d'admonition à ne pas aller trop
loin dans ses prétentions en Orient. Il est d'ailleurs
intéressant de noter que les patriarches orientaux [1], en
cette occasion, ne se départaient pas de leur calme et
considéraient l'emploi de ce titre par leur collègue
byzantin soit comme une formule vaine, soit comme une
précision des droits accordés à Constantinople par le
Concile de Chalcédoine.

La controverse a tout de même agité les esprits, et
l'empereur Phocas (602-610), le successeur de Maurice,
se crut obligé de redéfinir le statut des sièges de Rome
et de Constantinople. Nous lisons, dans le _Liber Ponti-
ficalis_ [2], que le pape Boniface II (607), le deuxième
successeur de S. Grégoire, « obtint de l'empereur Phocas
(confirmation) que le siège apostolique du bienheureux
apôtre Pierre (c'est-à-dire l'Église de Rome) était bien
la tête de toutes les Églises, car l'Église de Constantinople se disait la première de toutes les Églises ».

La relation du _Liber Pontificalis_ est assez vague et
son latin est loin d'être cicéronien. On ne peut voir
cependant dans cet édit de Phocas, contrairement à ce
qu'on en a souvent déduit dans les manuels d'histoire
ecclésiastique, qu'une répétition de la décision de
Justinien concernant le statut des deux sièges, et une
nouvelle confirmation de la primauté romaine [3].

---

1. Cela ressort clairement des lettres des patriarches d'Antioche et d'Alexandrie, _P.L._, 77, col. 882, 898.
2. Éd. L. Duchesne, Paris, 1886, vol. 1, p. 316 : « Hic obtinuit apud Focatem
principem ut sedes apostolica beati Petri apostoli caput esset omnium ecclesiarum, quia ecclesia Constantinopolitana prima se omnium ecclesiarum scribebat. »
3. C'est aussi le sens qu'Humbert de Romans donnait à ce décret impérial
dans sa présentation des sujets à discuter au deuxième concile de Lyon (1274).
Énumérant les causes du schisme grec, il disait : « Sed per Phocam imperatorem,
procurante Bonifacio papa, ordinatum fuit, quod Romana ecclesia, sicut erat,
sic et diceretur caput omnium » (Mansi, 24, col. 125).

CHAPITRE V

LA PRIMAUTÉ AUX VIIᵉ ET VIIIᵉ SIÈCLES

Origine de la légende de l'apôtre André comme fondateur du siège de Byzance. — Byzance et l'apôtre Jean. — Le Monothélisme et les papes. — Agathon et le sixième concile ; le synode *in Trullo*. — Grégoire II et Léon III. — Saint Théodore, le septième concile et la primauté.

On a vu que les arguments que les papes tiraient de l'origine apostolique et pétrinienne de leur siège avaient considérablement impressionné les Orientaux. Cela a conduit de nombreux savants à penser que les Byzantins, pour contrebalancer le prestige acquis par Rome de cette prérogative, avaient imaginé que le siège de Byzance était lui aussi d'origine apostolique. Ce siège aurait été fondé par l'Apôtre André, le frère de Pierre. Et comme André avait été le premier à être invité par le Seigneur à le suivre, comme c'était lui qui avait amené Pierre à Jésus, André était donc supérieur à Pierre, et ses successeurs à Byzance devaient être également supérieurs aux successeurs de Pierre à Rome.

On estime que cette légende de l'origine apostolique de Byzance aurait été inventée après la conclusion du schisme d'Acace. Elle se trouve surtout dans la liste des apôtres et disciples attribuée à Dorothée, l'évêque de Tyr [1]. Selon l'auteur de cette liste, Dorothée souffrit

---

1. Édition critique par Th. SCHERMANN dans son livre *Prophetarum vitae fabulosae, indices apostolorum discipulorumque Domini*, Leipzig, 1907, pp. 151 ss. Cf. aussi *P.G.*, 92, col. 1060-1073.

persécution sous le règne de Dioclétien, il vécut jusque
sous le règne de Julien et mourut martyr sous Licinius,
à l'âge de cent sept ans. La compilation comporte aussi
une déclaration du pape Agapet, faite à l'occasion de
sa visite à Constantinople en 525. Il y est dit que le
pape reconnut l'authenticité de la relation selon laquelle
S. André, se rendant du Pont en Grèce, aurait rendu
visite à Byzance et y aurait ordonné Stachys comme
premier évêque. L'auteur donne également une liste
de vingt évêques qui, selon lui, ont succédé à Stachys.

Le malheur veut que, de tous ces évêques, seul le
dernier de la liste — Métrophane —, contemporain de
Constantin le Grand, peut être vérifié avec certitude.
Le voyage du pape Agapet à Constantinople en 525
relève de la légende. Nous avons des renseignements
exacts sur la visite qu'Agapet fit à Constantinople en
536, mais la relation de cette visite, qui lui est contem-
poraine [1], ne révèle strictement rien de ce que décrit
le récit légendaire. L'auteur de cette relation ne sait
rien non plus des évêques qui seraient censés avoir
succédé à Stachys. Il énumère simplement les évêques
ayant succédé à Métrophane, se basant pour cela sur
la liste officielle qu'il a pu consulter au siège du patriarche
de Constantinople.

On sait par ailleurs que la tradition du voyage d'André
du Pont en Grèce, de son activité en Achaïe et de sa
mort à Patras, est considérée comme légendaire par de
nombreux spécialistes. Eusèbe, le premier historien
de l'Église, contemporain de Constantin le Grand, qui
nous a transmis ce qu'on savait, à son époque, de l'activité des Apôtres, place l'apostolat d'André en Scythie [2],
s'appuyant pour cela sur l'autorité d'Origène. C'est le
seul renseignement historique que nous possédions sur
l'œuvre d'André. Il en résulte, semble-t-il, qu'André
serait mort dans le pays où il effectuait sa mission,

---

1. Cette relation est citée *in extenso* par le cardinal C. Baronius dans ses
Annales ecclesiastici, ad ann. 536, éd. A. Pagi, Lucca, 1738-1759, nᵒˢ 59-63.
2. Eusèbe de Césarée, *Hist. ecclés.*, 3, 1 ; *P.G.*, 20, col. 216, éd. F. Schwartz,
1903, p. 188.

c'est-à-dire en Scythie. On sait que dans les villes de
Crimée et sur les bords de la mer d'Azov il y avait de
nombreuses colonies juives florissantes [1] et que la propagande religieuse juive était particulièrement fruc-
tueuse parmi les païens de ces cités. Cela explique
peut-être pourquoi André avait choisi ce pays pour y
exercer sa mission. Il est d'ailleurs intéressant de noter
que la tradition syriaque ne connaissait que la Scythie
comme pays de l'activité d'André, même à l'époque
où l'on croyait en Grèce qu'il était mort à Patras. Il
est donc fort possible, sinon vraisemblable, qu'un saint
portant le même nom ou un nom similaire, enterré à
Patras, ait été remplacé par l'Apôtre André. Comme il
y avait dans le voisinage de l'antique Scythie une tribu
barbare appelée *Achaioi*, que les Anciens ont souvent
considérée comme une colonie fondée par les *Achaioi*
de Grèce, il se peut que cette circonstance ait favorisé
cette substitution.

Le récit attribué à Dorothée de Tyr est fondé sur les
Actes apocryphes d'André. Ces Actes, très probablement,
ont été composés à la fin du IIIe siècle, en Achaïe, par
un intellectuel grec, chrétien orthodoxe mais imbu
d'idées rigoristes, encratiques et néoplatonisantes.

La version originale de ces Actes est perdue. On
devait y faire mention de Byzance et d'un séjour de
l'Apôtre en cette ville ; autrement, la légende n'aurait
pu se créer. Heureusement, S. Grégoire de Tours (538-
594) nous fournit une aide précieuse pour la reconsti-
tution de ces Actes en leur version originale. Ces Actes
constituaient en effet sa source principale quand il
écrivait son livre sur « Les Miracles d'André ». Décrivant
le voyage de l'Apôtre du Pont en Grèce, Grégoire mentionne expressément, parmi les lieux visités par André,
non seulement la Thrace mais aussi Byzance [2].

---

1. Cf. F. Dvornik, *Les légendes de Constantin et de Méthode*, p. 171.
2. *Liber de miraculis beati Andreae Apostoli*, publié par M. Bonnet dans
Monum. Germaniae Historica, Script. rerum Merovingicarum, vol. 1 (1883),
pp. 821-846.

* *
*

Il était donc facile, pour celui qui inventa la légende
en question, de trouver une base en apparence authentique à sa découverte. Il n'avait plus qu'à ajouter une
relation sur l'ordination de Stachys, le « disciple »
d'André. On trouve ce nom dans l'Épître aux Romains
(Rom., 16, 9). On sait de quelle manière furent établies
les listes des disciples du Christ. Lorsque leurs noms
n'étaient pas connus, on insérait tout simplement dans
ces listes les noms des saints personnages mentionnés
dans les lettres de saint Paul ou dans les Actes des
Apôtres. C'est ainsi que Stachys a été promu au rang
de premier évêque de Byzance et de disciple d'André.

Quant à l'origine de cette légende, on n'en trouve
aucune trace avant la fin du viie et le début du viii[e]
siècle [1]. On la trouve pour la première fois dans une
liste des disciples du Seigneur attribuée à Épiphane
de Chypre, mort en 402 [2]. Cette liste n'a pas pu être
composée avant la fin du viie siècle.

A cette époque, la légende n'a pas été acceptée de
façon générale, quoiqu'elle ait été inventée pour donner
plus d'éclat à Byzance. Son auteur avait certainement
été impressionné par les arguments apostoliques et
pétriniens fournis par le siège de Rome. L'idée que
l'origine apostolique d'un siège était de la plus haute
importance et que l'organisation ecclésiastique était
tenue de la respecter était, en réalité, très répandue à
Byzance au viie siècle. Cependant les milieux officiels
avaient trouvé une meilleure base d'apostolicité pour
Constantinople. De vieilles traditions syriaques, armé-
niennes et coptes [3], montrent que le caractère « aposto-

---

1. J'ai examiné ce problème en tous ses détails dans mon livre *The Idea of Apostolicity*, pp. 138-264.
2. Publié par SCHERMANN, *op. cit.*, pp. 107-126.
3. Pour les détails, voir mon livre *The Idea of Apostolicity*, pp. 242-244. Il s'agit de l'Histoire d'Arménie écrite par le Catholicos Jean VI et des canons apocryphes du concile de Nicée, utilisés par les Nestoriens et les Monophysites, et conservés dans une version arabe.

lique » avait été attribué à Byzance pour cette raison
que Constantinople était devenue l'héritière du siège
d'Éphèse, fondé par l'Apôtre Jean, lorsque le diocèse
d'Asie, administré par Éphèse, était passé sous la juridiction de Constantinople. Même encore au IXe siècle,
quand la légende d'André commençait à jeter ses
racines dans les milieux officiels de Byzance, le patriarche
Ignace soulignait que son siège était d'origine apostolique, faisant dériver ce caractère du fait que son siège
était celui de S. Jean et d'André [1].

C'est à la fin du VIIIe siècle ou plutôt au début du
IXe siècle que fut composé le catalogue des évêques de
Byzance, de Stachys à Métrophane ; il a été inséré dans
la compilation du Pseudo-Dorothée. Après 811 on y
ajouta la liste des disciples du Seigneur, basée sur la
liste du Pseudo-Épiphane [2]. Deux vies au moins de
S. André furent composées à cette époque, où se trouvait
mentionnée l'activité d'André à Byzance. Cependant
cette légende ne fut acceptée officiellement qu'au
Xe siècle. Ce n'est qu'alors que fut instituée la fête de
Stachys, premier évêque de Byzance. Ainsi donc, jusqu'au Xe siècle, cette légende n'a pas pu être utilisée
contre la primauté de Rome. Nous verrons bientôt [3]
le rôle qu'a joué cette légende dans les polémiques gréco-
latines.

*
* *

Il est évident que la conception du pouvoir impérial
telle qu'elle apparaît dans l'Hellénisme chrétien pouvait
devenir un danger pour l'Église et détruire l'harmonie
qui, selon Justinien, devait exister entre le *sacerdotium*
et l'*imperium*. C'est ainsi qu'une nouvelle crise fut provoquée par Héraclius (610-641). Menant une lutte

1. Au cours d'un interrogatoire par les légats romains, au synode de 861,
Ignace déclara : « Je suis en possession du siège de l'Apôtre Jean et d'André,
le premier qui se soit fait appeler Apôtre ». Cf. Wolf v. GLANVELL, *Die Kanones-
sammlung des Kardinals Deusdedit*, Paderborn, 1905, p. 603.
2. Voir mon livre *The Idea of Apostolicity*, pp. 178-180.
3. Voir page 144.

désespérée contre les Perses qui avaient envahi les provinces orientales de l'Empire, Héraclius croyait qu'il lui fallait à tout prix s'assurer la fidélité des Monophysites de Syrie et d'Égypte qui pouvaient facilement se tourner vers les Perses comme vers des libérateurs. Dans son *Ecthesis* de 638, un décret dogmatique qui déclarait que le Seigneur, après son Incarnation, n'avait qu'une volonté — doctrine monothélite —, il faisait une concession importante aux Monophysites qui n'admettaient qu'une nature — la divine — dans le Christ incarné.

Le décret impérial, généralement accepté à Byzance, déclencha néanmoins une opposition acharnée, surtout en Occident. Alarmé par la violence de cette opposition, Constance II (641-668) remplaça le décret d'Héraclius par un autre, dit *Typus*, dans lequel il défendait aux fidèles de discuter le problème de savoir s'il y avait une ou deux volontés dans le Christ. Le pape Martin Ier (649-655) éleva une protestation contre cette défense et, après avoir défini la doctrine catholique sur les deux volontés du Christ, il condamna le Monothélisme. Constance, qui s'était également senti offensé lorsque le pape, refusant d'attendre l'approbation de l'Empereur lors de son élection, avait immédiatement assumé les devoirs de sa charge, ordonna l'arrestation du pape, le fit amener à Constantinople, et le fit condamner comme traître. Le pauvre pape mourut en exil, en Crimée. Cette intervention brutale de la part de l'Empereur choqua profondément l'Italie tout entière.

Il faut dire, à la vérité, qu'au début de cette querelle dogmatique, lorsque le patriarche Sergius, promoteur du monothélisme, avait demandé l'avis du pape Honorius Ier (625-638) sur cette doctrine, celui-ci, qui professait lui-même une doctrine orthodoxe, donna dans sa réponse plutôt évasive, l'impression — fausse — qu'il était favorable à la thèse de Sergius. Au contraire, l'attitude de ses successeurs, Jean IV, Théodore et Martin, fut beaucoup plus résolue, et ils condamnèrent tous cette doctrine.

Il y eut des protestations qui s'élevèrent non seulement

en Occident, en particulier en Afrique [1], mais aussi en
Orient, pour demander aux papes d'user de l'autorité
suprême qu'ils détenaient dans l'Église et de condamner
les hérésies.

Citons surtout Serge, le chef de l'Église de Chypre,
dans son adresse au pape Théodore en 643 [2]. Il appelle
le siège de Rome « le pilier construit par Dieu, à la soli-
dité inébranlable, stèle où la foi se trouve clairement
inscrite ». Après avoir souligné le caractère apostolique
du siège romain, il s'écrie : « Oui, vous êtes Pierre, comme
le Verbe divin l'a vraiment proclamé, et sur votre fondement sont appuyées les colonnes de l'Église. » Invitant
le pape à user du pouvoir de lier et de délier que le
Christ lui a donné, l'archevêque appelle le pape « prince
et docteur de la foi orthodoxe et immaculée ».

Non moins expressive est la déclaration de Sophronie,
patriarche de Jérusalem, qui envoya un messager à
Rome en lui donnant un ordre ainsi conçu [3] : « Allez
jusqu'au siège apostolique, où se trouvent les fondements de la doctrine orthodoxe. » Son délégué, Étienne
de Dora, fit à Rome, au synode de 649, des déclarations
qui manifestent surabondamment le respect qu'on avait
en Palestine pour l'autorité du siège apostolique romain.
Il dénonça l'hérésie monothélite devant « la chaire
supérieure et divine, pour qu'elle guérisse entièrement
la blessure ». Ce siège, affirma-t-il, a l'habitude de le
faire « en raison de son autorité apostolique et canonique ». Ensuite il invoqua Pierre, à qui le Seigneur a
remis les clefs, qui fut, « le premier, chargé de paître
les brebis de l'Église catholique tout entière », et qui
fut chargé d'affermir ses frères dans l'Esprit.

On sait que S. Maxime fut un des défenseurs les plus
intrépides de la doctrine orthodoxe. On trouve dans
ses lettres des déclarations tout à fait catégoriques sur
la position suprême du siège de Rome. Cette chaire,
dit-il, est la base de toutes les Églises chrétiennes du

---

1. Voir les Actes du synode africain de 646, Mansi, 10, col. 920-921.
2. Mansi, 10, col. 913.
3. *Ibid.*, col. 893, 896.

monde. Elle a reçu, non seulement du Christ mais
aussi des saints conciles, « le pouvoir de commander à
toutes les saintes Églises de Dieu dans l'univers entier ».
Il invitait les monothélites à s'adresser à Rome, à
renoncer à leur doctrine, et à demander pardon [1].

*   *
*

Évidemment ces déclarations ne peuvent être considérées comme des voix officielles de l'Église byzantine.
Cependant, même à Byzance, la situation va s'éclaircir
avec l'avènement de l'empereur Constantin IV Pogonat
(668-685). Il était grand temps. Après l'intervention
brutale de Constance II à Rome, il y avait eu d'autres
incidents irritants suscités par l'Empereur ou par les
exarques impériaux de Ravenne. L'Italie, épuisée aussi
par la pénétration des Lombards à l'intérieur de la
péninsule, perdait peu à peu l'esprit de solidarité avec
l'Empire que Justinien avait essayé d'affermir. Le pape
Agathon (678-681) assuma le rôle qu'avait joué autrefois
Léon le Grand et, par ses lettres dogmatiques expédiées
en Orient, prépara la convocation du sixième concile
œcuménique (680-681).

Les Pères du concile célébrèrent les mérites du pape
dans la confirmation de la foi. En lui annonçant les
résultats de leurs délibérations, ils déclarèrent qu'il
fallait des remèdes très spéciaux pour guérir les maladies

---

1. Voir surtout la lettre qu'il écrivit à Rome, à l'illustre Pierre (*P.G.*, 91,
col 137-140, 144) et les *Acta Maximi* (*P.G.*, 90, col. 153). Martin Ier, dans les
lettres des moines Théodose et Théodore de Gangres, est appelé « suprême et
apostolique président de toute la hiérarchie, coryphée véritablement œcuménique » (*P.G.*, 90, col. 193, 197, 202). Il est à remarquer que S. Maxime lui-même
souligne que le pouvoir suprême que l'évêque de Rome a sur l'Église a été
confirmé par les conciles : « (Apostolica sedes) quae ab ipso incarnato Dei Verbo,
sed et omnibus sanctis synodis, secundum sacros canones et terminos, univer-
sarum, quae in toto terrarum orbe sunt, sanctarum Dei ecclesiarum in omnibus
et per omnia percepit et habet imperium, auctoritatem et potestatem ligandi,
atque solvendi » (MANSI, 10, col. 692). Il n'ignore pas que la source de ce pouvoir
est le Verbe divin, mais il insiste surtout sur la confirmation par les synodes.
On voit poindre là la mentalité byzantine. Cette insistance montre peut-être
la façon dont certains cercles au moins interprétaient à Byzance les décisions
des conciles de Nicée et de Chalcédoine et celles de Justinien (sacros terminos)
concernant le premier siège. Même le patriarche Jean, s'adressant au pape
Constantin en 712, proclame que le pape est la tête de l'Église selon les décisions
canoniques (MANSI, 12, col. 196).

dangereuses, et que « pour cela, le Christ, notre vrai
Dieu, la force primordiale et régissant tout l'univers,
avait donné un éminent médecin — votre Sainteté,
honorée par Dieu, qui pourchasse la maladie et répand
courageusement les remèdes de l'orthodoxie, rendant
ainsi la santé à l'Église universelle. Nous nous en remet-
tons donc à vous de ce qu'il faut faire, à vous qui occupez
le premier siège de l'Église universelle, à vous qui
restez sur le ferme rocher de la foi. Nous le faisons après
avoir lu la lettre confessant la vraie foi adressée par
votre Béatitude paternelle au très pieux Empereur,
lettre qui, nous le reconnaissons, a été écrite divinement
par la plus haute autorité qui soit parmi les Apôtres [1]. »
Ils ajoutaient un peu plus loin qu'ils avaient condamné
les doctrines hérétiques, « illuminés par le Saint-Esprit
et instruits par votre enseignement ».

Dans leur lettre à l'Empereur ils déclaraient [2] :
« C'était le chef, le premier des Apôtres qui combattait
avec nous. Nous avions, pour nous fortifier, son disciple
et successeur qui, dans ses lettres, nous expliquait les
mystères de la science de Dieu. Cette vieille ville de
Rome vous a envoyé une confession écrite par Dieu...
et c'est Pierre qui parlait par Agathon. »

Ces paroles sont importantes, mais il ne faut pas
cependant en exagérer la portée. Le même concile
condamnait aussi, en même temps que les Monothélites,
le pape Honorius. Les lettres que celui-ci avait envoyées
à Sergius avaient été interprétées à tort comme favo-
rables au monothélisme. Il est d'ailleurs intéressant de
noter que cette condamnation était également prononcée
à Rome, dans la profession de foi que le pape devait
réciter et signer après son élection. Bien entendu on
n'attribuait pas à Honorius la paternité de l'hérésie
condamnée, on le reprenait seulement pour son manque
de vigilance [3].

---

1. Mansi, 11, col. 684, 685.
2. Mansi, 11, col. 665.
3. Cette profession se trouve dans le *Liber diurnus*, une collection de formules
et de prescriptions à l'usage de la chancellerie pontificale. Ce formulaire fut
révisé après le VIe concile. Il a été édité par H. Foerster, *Liber diurnus roma-*

Le climat de paix qui suivit la conclusion de la controverse monothélite fut bientôt troublé de nouveau par un sérieux incident. Justinien II (685-695, 705-711) avait convoqué en 692 un autre concile qui s'était réuni dans la même salle du palais impérial, appelée *Trullos*, et qui se proposait de compléter l'œuvre des deux conciles précédents par le vote de canons disciplinaires. Parmi les cent deux canons votés par l'assemblée se trouvaient un certain nombre de canons condamnant certains usages liturgiques de l'Église latine. On voit apparaître là les méfaits de l'éloignement des deux Églises qui, pour les raisons mentionnées plus haut, commençaient à se faire sentir [1].

Par ailleurs l'attachement de l'Italie à l'Empire commençait lui-même à décroître. Le pape Sergius Ier (687-701) refusa les décisions du concile et, quand l'Empereur essaya de faire arrêter le pape et de le conduire à Constantinople pour y être jugé, la milice italienne se révolta et empêcha l'exécution de l'ordre impérial. L'ambassadeur de l'Empereur ne dut sa vie qu'à l'intervention personnelle du pape. Le successeur de Sergius, Jean VI (701-705), dut intervenir de nouveau et calmer la milice lorsque l'empereur Tibère III envoya une expédition à Rome pour punir les rebelles.

L'incident ne se liquida qu'en 710. Invité par l'empereur Justinien II, le pape Constantin Ier se rendit dans la capitale. D'après le récit enthousiaste du *Liber Pontificalis* [2], il y fut fort bien reçu par l'Empereur et la population. L'incident était clos, et l'on a dit qu'à cette occasion l'Empereur avait « renouvelé tous les privilèges de l'Église ». Ces mots sont à entendre dans ce sens que Justinien II confirma la place privilégiée occupée par Rome dans la hiérarchie, renouvelant ainsi les décrets de Phocas et de Justinien Ier.

---

norum pontificum, Berne, 1958, p. 155. Cette profession, avec quelques changements, demeura en usage à Rome jusqu'au xie siècle. Cf. ce que j'en dis dans mon livre *Le Schisme de Photius*, pp. 585-599.

1. Sur cet éloignement progressif, voir Y. M.-J. Congar, « Neuf cents ans après », dans *L'Église et les Églises*, Chevetogne, 1954, t. I, pp. 3-33.

2. Éd. L. Duchesne, vol. 1, pp. 390-391.

* *
*

Plus importante pour comprendre l'évolution de l'idée de la primauté romaine en Orient fut la controverse au sujet de la vénération des images des saints. La condamnation de la vénération des images par l'empereur Léon III fut la dernière intervention directe d'un empereur en matière ecclésiastique. L'envoi au pape Grégoire II, en 726, de l'ordre impérial d'accepter le décret, sous peine de déposition et de sévère punition, ouvrit une controverse qui dura longtemps et fut particulièrement dangereuse non seulement pour le *sacerdotium* mais aussi pour l'*imperium*.

Sûr d'être soutenu par toute l'Italie et par tout l'Occident, Grégoire II envoya à l'Empereur une réponse très courageuse, condamnant son initiative. L'Empereur enverrait-il toute une flotte, ses soldats approcheraient-ils même de Rome, que le pape n'aurait qu'à se réfugier dans la campagne pour y être en parfaite sûreté. Le prestige du pape était grand, non seulement en Italie mais dans tout l'Occident. « Tout l'Occident se tourne vers notre humble personne, et, quoique nous soyons dans une situation critique, ils ont quand même une grande confiance en nous et en Celui dont vous menacez l'image de déposition et de dégradation, le saint coryphée Pierre, que les royaumes d'Occident continuent de regarder comme Dieu sur la terre [1]. »

Cette correspondance est intéressante aussi du point de vue de la spéculation politico-religieuse. Dans sa première lettre, le pape, tout en refusant d'obéir à l'Empereur, laissait clairement entendre cependant qu'il ne renonçait pas à l'Hellénisme chrétien. Il soulignait que les ordres de l'Empereur étaient toujours communiqués aux nations que Rome avait converties et que les papes exhortaient les nouveaux rois à rester fidèles à l'Empereur. Ce qui montre que l'idée de l'Église

---

1. Les lettres de Grégoire II ont été publiées par E. CASPAR dans son étude « Papst Gregor II. und der Bilderstreit », dans *Zeitschrift für Kirchengeschichte*, 52 (1933), pp. 72-89. Voir aussi son ouvrage *Geschichte des Papsttums*, Tübingen, 1933, vol. 2, pp. 646 ss.

universelle dans l'Empire universel demeurait toujours vivante à Rome.

Quand l'Empereur renouvela sa démarche en rappelant au pape qu'il était dans son droit, étant « empereur et prêtre [1] », Grégoire II ne refusa pas ce caractère sacerdotal attaché à l'office impérial. Il précisa que c'est avec raison que ce titre avait été donné aux empereurs qui, en parfait accord avec les prêtres, avaient convoqué les conciles pour que la vraie foi y soit définie, mais que Léon, lui, avait transgressé les décisions des Pères. « Les dogmes ne concernent pas les empereurs, mais les prêtres... De même que le prêtre n'a pas le droit de surveiller les affaires du palais et de proposer la distribution des dignités impériales, de même l'empereur n'a pas non plus le droit de surveiller l'Église et de juger le clergé, ni de consacrer et de distribuer les symboles des saints sacrements... Nous vous invitons à être un véritable empereur et prêtre [2]. »

Les défenseurs du culte des images en Orient ne pouvaient trouver de soutien que dans la papauté. Il était naturel pour eux de souligner le caractère apostolique et pétrinien du siège de Rome, d'autant que les empereurs iconoclastes invoquaient le caractère sacerdotal de leur office. A plusieurs reprises, dans ses lettres, S. Théodore, du monastère de Stoudios, appelle simplement le pape *apostolicus* [3]. C'était le titre qu'à cette époque on lui donnait en Occident. S. Théodore a certainement eu connaissance de cela par les moines grecs des monastères grecs de Rome [4].

---

1. Le même titre est revendiqué par l'empereur Léon III dans l'introduction de l'*Ecloga*, un livre de droit publié par lui. Cf. I. ZEPPOS - P. ZEPPOS, *Jus graeco-romanum*, Athènes, 1931, vol. I, p. 12. L'empereur y déclare que le Seigneur lui avait demandé, « comme il avait demandé à Pierre, le chef suprême des Apôtres, de paître son très fidèle troupeau ».
2. S. Maxime le Confesseur, pendant l'interrogatoire qu'il eut à subir, soulignait lui aussi le fait que l'Empereur ne pouvait exercer les fonctions sacerdotales (*P.G.*, 90, col. 1117).
3. Cf. ses lettres au pape Léon (*P.G.*, 99, col. 1021-1025), à Épiphane (*Ibid.*, col. 1209), au patriarche Thomas de Jérusalem (*ibid.*, col. 1397) et à Naucratius (*ibid.*, col. 1281).
4. Voir ce que j'ai dit à propos de ce titre et des monastères grecs de Rome dans *Les Légendes de Constantin et de Méthode vues de Byzance*, pp. 295-300, 286-290.

Théodore reconnaissait à l'empereur le droit de convoquer les conciles, conformément à l'ancien usage, mais il insistait sur le rôle prépondérant que les papes avaient joué à l'occasion de certains conciles [1]. Quand une difficulté surgissait à propos d'un dogme et que l'empereur ne croyait pas utile de convoquer un concile, Théodore recommandait de porter l'affaire au pape pour qu'une décision soit prise. Il attribuait le caractère apostolique à tous les patriarches, ainsi qu'à celui de Constantinople, puisqu'ils étaient tous les successeurs des Apôtres [2].

Un autre courageux défenseur du culte des images, Étienne le Jeune, rejeta en 760 le concile iconoclaste de 754, en mentionnant naturellement les patriarches qui l'avaient également rejeté. Parlant du pape, il précise : « Selon les prescriptions canoniques, les matières religieuses ne peuvent être définies sans la participation du pape de Rome [3]. »

Le témoignage le plus éloquent et le plus évocateur sur la primauté du pape nous est donné par l'intrépide défenseur du culte des images, le patriarche Nicéphore lui-même. Dans son écrit pour la défense du culte des images, il exalte l'importance des décisions du septième concile œcuménique en disant [4] : « Ce synode possède la plus haute autorité... Il a été tenu en effet de façon on ne peut plus légitime et régulière, parce que, selon les règles divines établies dès l'origine, il a été dirigé et présidé par cette glorieuse portion de l'Église occidentale, je veux dire par l'Église de l'ancienne Rome. Sans eux (les Romains), aucun dogme discuté dans l'Église, aurait-il été préalablement sanctionné par les lois canoniques et les usages ecclésiastiques, ne peut être

---

1. Cf. E. WERNER, « Die Krise im Verhältnis von Staat und Kirche in Byzanz. Theodor von Studion », dans *Aus der byzant. Arbeit der deutschen demokratischen Republik*, 1 (1957), pp. 127-133.

2. *P.G.*, 99, col. 1417-1420.

3. Voir la *Vie de S. Étienne le Jeune*, *P.G.*, 100, col. 1144.

4. *P.G.*, 100, col. 597 ABC ; *ibid.*, col. 576 A, 621 D. Le patriarche fait un vibrant éloge du coryphée Pierre. Dans le passage cité les coryphées dont il est question sont Pierre et Paul. Il semble évident que Nicéphore cherchait aussi à favoriser la vieille tradition oubliée à Rome, qui attribuait la fondation du siège romain à Pierre et à Paul.

considéré comme approuvé, ni comme périmé ; ce sont eux en effet qui possèdent le principat du sacerdoce et qui doivent cette distinction au coryphée des Apôtres. »

Nicéphore manifeste également un grand respect pour le pape Léon III dans sa lettre synodique, envoyée après son élection. Après avoir exposé sa foi orthodoxe, il prie instamment le pape [1], « afin que par vos décisions et vos enseignements nous demeurions fermes dans cette foi, sans défaillance et mélange d'erreur ».

Les déclarations que font les défenseurs du culte des images et la confiance qu'ils manifestent aux évêques de Rome ouvrent une étape nouvelle, à Byzance, dans la reconnaissance de la primauté romaine. Mais, ici encore, il faut prendre garde d'aller trop loin. Les cercles officiels de l'Église de Byzance restaient en effet toujours fidèles à leurs vieilles traditions et hésitaient à se porter plus avant.

Cela apparaît nettement dans les actes du septième concile œcuménique, qui condamna l'iconoclasme. Le pape Hadrien (772-795) avait adressé une lettre à l'impératrice Irène et à son fils Constantin dont on donna lecture pendant la seconde session du concile [2]. Il est très significatif que plusieurs passages de la lettre, qui énonçaient très clairement la primauté du siège romain, ne se trouvent pas dans la version grecque qui fut lue devant les Pères. En particulier les citations de la promesse du Seigneur à Pierre (Mat., 16, 18 ss.), qu'avait produites le pape pour appuyer la primauté, ont été supprimées dans la version grecque. On y a simplement laissé qu'une brève allusion à ces paroles du Seigneur. Partout où le pape mentionne Pierre comme fondateur du siège de Rome, la version grecque ajoute également Paul. La protestation que faisait le pape contre l'utilisation du titre « œcuménique » par le patriarche de Constantinople a aussi été supprimée,

---

1. *Ibid.*, col. 193-196.
2. Mansi, 12, col. 1056 ss. Cf. G. Ostrogorsky, « Rom und Byzanz im Kampfe um die Bilderverehrung », dans *Seminarium Kondakovianum*, 6 (1933), pp. 76 ss.

de même que les remarques où il critiquait l'élévation
de Taraise de l'état laïc au patriarcat. Les traducteurs
grecs firent également quelques changements dans la
lettre du pape à Taraise, comme le remarque Anastase
le Bibliothécaire dans sa traduction des Actes. Cependant le passage de Mat., 16, 18 s'y trouve [1].

Cela ne veut pas dire évidemment que la primauté
du pape était niée dans les versions grecques. Il y reste
suffisamment d'expressions qui indiquent cette primauté.
La chose, cependant, méritait d'être notée. Car elle
semble montrer que les Byzantins, quoique prêts à
reconnaître et à accepter le principe de la primauté
du siège de Rome, demeuraient soucieux de préserver
l'autonomie de leur Église et supportaient difficilement
que les papes interviennent directement dans leurs
affaires intérieures. Quant à l'adjonction du nom de
Paul à celui de Pierre, elle montre que la chancellerie
patriarcale demeurait fidèle à l'ancienne tradition, que
Rome connaissait aussi d'ailleurs et qu'elle avait suivie
jusqu'au ive siècle [2]. Nous verrons qu'en ce domaine
les Byzantins n'acceptèrent qu'au ixe siècle le nouvel
usage romain.

Cette inquiétude des Byzantins à préserver leur
autonomie ne doit jamais être oubliée. Elle s'était déjà
manifestée, nous l'avons vu, à l'occasion du deuxième
concile œcuménique [3] et elle retenait les Byzantins de
se rapprocher trop d'une Rome dont on ne comprenait
pas toujours les prétentions.

---

1. *Ibid.*, col. 1082. Les Pères ne pouvaient pas ne pas souscrire à l'affirmation
du pape selon laquelle l'Église romaine était la tête de toutes les Églises, car cela
avait été également confirmé par les conciles. La vénération que tous avaient
sans doute pour S. Pierre était une des raisons pour lesquelles ce passage n'avait
pas été changé. Le pape lui-même semble attribuer ce pouvoir suprême à Pierre
lorsqu'il dit : « A cause de cela, le même Pierre, paissant l'Église selon l'ordre du
Seigneur, a toujours conservé et conserve le principat. »
2. Voir *supra*, p. 44. K. ONASCH, « Der Apostel Paulus in der byzantinischen
Slaven Mission », dans *Zeitschrift für Kirchengeschichte*, 69 (1958), pp. 219-221,
voit, dans cette addition, le désir de remplacer la primauté de Pierre par un
« consulat » des deux Apôtres. Cette interprétation pèche par exagération.
3. Voir pages 39-41.

CHAPITRE VI

L'IDÉE PENTARCHIQUE
PHOTIUS ET LA PRIMAUTÉ

Évolution de l'idée de la pentarchie. — La pentarchie et
la primauté. — Photius et la tradition légendaire d'André. —
Appels au pape. — La primauté dans la version grecque des
lettres papales au concile de 879-880. — Le synode de 867 et
la papauté. — Renouvellement de l'idée d'unité de l'Empire
romain.

L'évolution que subit l'idée pentarchique au cours
des VIIIe et IXe siècles mérite d'être étudiée. Tous les
défenseurs du culte des images ont partagé cette idée.
Théodore le Studite l'exprime très clairement dans sa
lettre à Léon le Sacellaire [1] : « Nous ne discutons pas
des affaires du monde. C'est à l'empereur et au tribunal
séculier qu'appartient le droit de les juger. Mais il
s'agit de décisions divines et célestes, et celles-ci ne
sont réservées à personne d'autre qu'à ceux à qui le
Verbe de Dieu a dit : 'Tout ce que vous lierez sur la
terre sera lié dans le Ciel, et tout ce que vous délierez
sur la terre sera délié dans le Ciel' (Mat., 16, 19). Quels
sont les hommes à qui cet ordre a été donné ? — Les
Apôtres et leurs successeurs. Et quels sont leurs successeurs ? — Celui qui siège sur le trône de Rome et
qui est le premier ; celui qui siège sur le trône de Cons-

---

1. *P.G.*, 99, col. 1417 C, lettre 129 ; cf. aussi col. 1420. S. Maxime le Confesseur
était lui aussi partisan de la pentarchie (Epistula ad Joannem Cubicularium,
P.G., 90, col. 464 ; Disputatio cum Pyrrho, *ibid.*, 91, col. 352).

tantinople et qui est le second ; et, après eux, ceux
d'Alexandrie, d'Antioche et de Jérusalem. Voilà l'autorité pentarchique de l'Église. C'est à eux qu'appartient
la décision sur les dogmes divins. L'empereur et l'autorité séculière ont le devoir de les aider et de confirmer
ce qu'ils ont décidé. »

Il est intéressant de voir comment Théodore attribue
ici le caractère apostolique à tous les patriarches, celui
de Constantinople y compris. Ils sont tous les successeurs des Apôtres. Il se peut que l'empereur Constantin IV, ou sa chancellerie, partageait déjà cette idée.
En effet, lorsque, à la fin de la huitième session du
vie concile œcuménique, il ordonnait d'envoyer les
décisions du concile aux cinq patriarches, il attribuait
le caractère apostolique aux patriarches de Rome, de
Constantinople et d'Alexandrie [1]. Dans sa lettre au
pape Agathon [2], où il annonçait la convocation du
concile, il parlait des « Églises catholiques et apostoliques », ayant en vue sans nul doute les cinq patriarcats.

Un autre éminent partisan de l'idée pentarchique
était le patriarche Nicéphore. Dans son apologie du
culte des images [3], après le passage où il évoquait si
clairement la primauté de Rome, le patriarche mention-
nait que, en dehors de Rome, Constantinople et les
trois sièges patriarcaux et apostoliques — de toute
évidence Alexandrie, Antioche et Jérusalem — avaient
également condamné l'iconoclasme. Il écrivait ensuite :
« C'est une vieille loi de l'Église que, lorsque des incer-
titudes ou des controverses se manifestent dans l'Église
de Dieu, elles soient résolues et définies par des synodes
œcuméniques, avec l'assentiment et l'approbation des
évêques qui détiennent les sièges apostoliques [4]. »

On sait que ce fut au concile ignatien de 869-870

---

1. MANSI, 11, col. 681 ss.
2. MANSI, 11, col. 200 C.
3. P.G., 100, col. 597 BC.
4. Le patriarche essayait aussi de réconcilier l'idée d'apostolicité et le principe
d'accommodement à l'organisation civile de l'Empire. Après avoir souligné
l'origine apostolique du siège de Rome, voici ce qu'il dit de Constantinople :
« Elle est la nouvelle Rome, la plus éminente et la première des cités de nos
contrées, distinction qui lui vient de la majesté impériale. »

que cette idée pentarchique fut particulièrement développée. Il suffira de citer les mots par lesquels le patrice
Baanès, représentant de l'empereur Basile Ier, définissait cette idée [1] : « Dieu a fondé son Église sur cinq
patriarches et, dans ses évangiles, il a défini qu'elle ne
pourrait jamais complètement faillir, car ils sont les
chefs de l'Église. En effet le Christ a dit : '... et les
portes de l'enfer ne prévaudront pas contre elle', ce
qui signifie : s'il en est deux qui viennent à faillir, ils
s'adresseront aux trois autres ; s'il en est trois qui
viennent à faillir, ils s'adresseront aux deux autres ;
et si par hasard il en est quatre qui viennent à faillir,
le dernier, qui demeure dans le Christ, notre Dieu, chef
de tous, ramènera de nouveau le reste du corps de
l'Église. »

*
* *

On considère très souvent cette doctrine comme étant
très dangereuse pour la primauté romaine, et en opposition avec elle. Cette opinion est exagérée. Il faut
comprendre ce problème du point de vue byzantin.
L'idée pentarchique exprimait l'universalité de l'Église
qui ne pouvait plus être, à cette époque, représentée
par l'universalité de l'Empire dont l'étendue se trouvait
considérablement réduite du fait de la perte des provinces orientales.

Par ailleurs, l'idée que la doctrine du Seigneur devait
être définie et expliquée par les cinq patriarches, représentant chacun les évêques de leur patriarcat, visait à
sauvegarder les droits du *sacerdotium*, que l'*imperium*
ne devait pas usurper. A ce point de vue, l'idée pentarchique représentait un grand progrès dans la lutte que
le *sacerdotium* menait depuis si longtemps contre
l'*imperium*, lequel, comprenant mal l'esprit de l'Hellénisme chrétien, ne se privait pas d'usurper les droits
du sacerdoce en matière de doctrine. Longue fut la
lutte que l'Église d'Orient dut mener. Elle enregistra

2. MANSI, 16, col. 140-141.

de nombreuses défaites, ce qui arriva en particulier
lorsqu'une grande partie de la hiérarchie se ralliait aux
empereurs sectateurs d'une hérésie. Elle s'était cependant toujours ressaisie, avec l'aide de l'Église d'Occident représentée par la papauté.

Il faut d'ailleurs reconnaître que l'idée pentarchique
ne supposait nullement une égalité absolue entre les
patriarches. Le siège de la vieille ville de Rome était
toujours considéré comme le premier. Cela est suffisamment exprimé par ceux qui restaient fidèlement attachés
à ce principe. Citons par exemple le patriarche Nicéphore
qui, parlant dans son *Symbole de foi* [1] de la condamnation des iconoclastes par les sept conciles œcuméniques,
ajoute : « Qu'ils soient rejetés de l'Église catholique,
nous en trouvons le sage témoignage et la confirmation
dans les lettres qui ont, il y a peu de temps, été envoyées
par le très saint et bienheureux archevêque de l'ancienne Rome, c'est-à-dire du premier siège apostolique. »

On ne devrait pas oublier non plus que ce principe
pentarchique exprimait aussi, selon la mentalité byzantine, l'idée de l'infaillibilité de l'Église en matière de
doctrine, dogme que l'Église Orthodoxe professe encore
aujourd'hui avec fermeté.

Le principe pentarchique offrait aussi une certaine
base pour un *modus vivendi* entre Rome et Constantinople, assez satisfaisante pour l'époque. Ce principe a
sans doute trouvé des partisans même à Rome. On peut
le déduire de ce que dit le bibliothécaire du Saint-Siège,
le fameux Anastase, dans sa préface à la traduction
des Actes du concile de 869-870. Voici comment il
définit la conception romaine de la pentarchie [2] :

---

1. Publié par A. Papadopoulos-Kerameus dans ses *Analecta de la glanure
de Jérusalem* (en grec), Saint-Pétersbourg, 5 vol., 1891-1898, vol. 1, pp. 454-460.
Ce passage a été utilisé aussi par Zonaras pour prouver que Rome était bien le
premier siège et que la primauté n'avait pas été, par le canon XXVIII de Chalcédoine, transférée de Rome à Constantinople : voir plus loin, p. 137. V. Grumel,
dans son étude « Quelques témoignages byzantins sur la primauté romaine »,
dans *Échos d'Orient*, 30 (1931), pp. 422-430, cite également un passage de l'ouvrage de Nicéphore *Apologeticus minor pro imaginibus* (*P.G.*, vol. 100, col.
841 CD), comme preuve de la primauté. Ce passage est cependant moins significatif.

2. Mansi, 16, col. 7.

« Comme le Christ a placé dans son corps, c'est-à-dire dans l'Église, un nombre de patriarches égal à celui des sens dans le corps mortel, il ne manquera rien au bien-être de l'Église lorsque ces sièges auront une même volonté, de même que rien ne manque au fonctionnement du corps lorsque les cinq sens demeurent intacts et sains. Parce que, parmi eux, le siège de Rome a la préséance, on le compare à juste titre à la vue, qui parmi tous les sens est assurément le premier, étant le plus vigilant et demeurant, plus que nul autre, en communion avec tous [1]. »

Si l'idée de pentarchie avait pris de telles racines à Byzance au cours des VIIIe et IXe siècles, il faut y voir aussi le signe que le principe romain concernant l'organisation de l'Église, à savoir le caractère apostolique des sièges, à l'encontre du principe d'accommodement à l'organisation politique de l'Empire, avait considérablement gagné du terrain à Byzance. La défaite de l'iconoclasme fut aussi, à Byzance, la défaite de la conception traditionnelle de l'*imperium*, et l'occasion pour l'Église de défendre plus vigoureusement ses droits en matière de doctrine, ses droits pour lesquels elle avait si vaillamment combattu. De plus, cela signifiait que le caractère apostolique du siège de Constantinople avait été définitivement accepté par les Orientaux. Il était assez naturel, dans ces conditions, que la tradition légendaire faisant remonter ce caractère apostolique de Byzance à l'Apôtre André, censé avoir ordonné Stachys comme premier évêque, se répandît de plus en plus à Constantinople.

*
* *

On a dit que la légende relative à l'activité d'André à Byzance avait été inventée par Photius, que beaucoup

---

1. Ce n'est qu'aux XIIe et XIIIe siècles que l'idée pentarchique devint une arme antipapale. Sur l'histoire de cette idée, cf. HERGENRÖTHER, *Photius*, Regensburg, 1869, vol. 2, pp. 132 ss. ; vol. 3, p. 766 ; M. JUGIE, *Theologia dogmatica*, Paris, 1931, vol. 4, pp. 451-463 ; R. VANCOURT, « Patriarcats », dans *Dict. de théol. cath.*, vol. 11 (1932), col. 2269-2277 ; D. H. MAROT, « Note sur la pentarchie », dans *Irenikon*, 32 (1959), pp. 436-442.

de théologiens considèrent toujours comme l'ennemi
le plus acharné de la primauté romaine [1]. Ce que nous
avons dit plus haut montre que Photius ne peut pas
être regardé comme l'inventeur de cette tradition. La
connaissait-il et s'en servit-il dans son conflit avec
Rome ? C'est ce qu'il s'agit maintenant de voir. La
légende était déjà connue de son temps. Nous avons vu
que le patriarche Ignace connaissait les deux traditions,
l'une qui attribuait le caractère apostolique du siège
de Byzance au fait que Constantinople, après que le
diocèse d'Asie eut été soumis à sa juridiction, était
devenue l'héritière d'Éphèse, fondée par S. Jean l'Évan-
géliste, et l'autre, plus récente, qui acceptait la légende
d'André comme un fait historique. Photius avait donc
assez de raisons de connaître cette légende. Mais l'a-t-il
utilisée ?

Jusqu'à une époque récente on attribuait à Photius
la paternité d'un pamphlet intitulé « Contre ceux qui
disent que Rome est le premier siège [2] ». La tradition
légendaire d'André est un des principaux arguments
qu'emploie cet écrit pour refuser à Rome son privilège.
Puisqu'André a été le premier que le Seigneur a invité
à le suivre, le siège qu'il a fondé à Byzance est supérieur
à celui de Rome [3].

Si Photius avait utilisé un pareil argument contre la
primauté romaine, on peut supposer qu'on devrait en
trouver quelques traces dans d'autres écrits authentiques
de lui, d'autant plus que l'auteur du pamphlet semble
bien convaincu de la valeur de son argument et que le
ton qu'il prend est polémique et arrogant.

Photius aurait pu en faire mention dans sa lettre

---

1. Récemment encore F. DÖLGER dans son étude « Rom in der Gedan-
kenwelt der Byzantiner », dans *Zeitschrift für Kirchengeschichte*, vol. 56 (1937),
pp. 40-42 ; réédité dans son livre *Byzanz und die europänische Staatenwelt*, Speyer
a. R., 1953, pp. 112 ss.

2. Réédité par M. GORDILLO, « Photius et primatus romanus », dans *Orientalia
Christiana Periodica*, 6 (1940), pp. 5 ss. Traduction latine dans M. JUGIE,
Theologia dogmatica christ. orient., vol. 1, Paris, 1926, pp. 131 ss.

3. « Si Rome recherche la primauté en raison du coryphée (Pierre), Byzance
est le premier siège à cause d'André, qui fut le premier appelé, et en raison de
l'ancienneté, car (André) occupait la chaire épiscopale de Byzance quelques
années avant que son frère ne vînt à Rome. »

d'intronisation de 856, ou bien au synode de 867 qui condamna l'intervention du pape Nicolas Ier dans les affaires intérieures de l'Église byzantine, ou encore au concile de 879-880 qui le réhabilita. Si les photianistes avaient répandu cette légende en Bulgarie pour impressionner le khagan Boris-Michel, le pape Nicolas Ier l'aurait appris par les missionnaires qui les ont suivis. Or nous ne voyons rien de tout cela. Ni Nicolas Ier, ni son successeur Hadrien II n'en eurent connaissance [1]. Photius n'utilise même pas cet argument dans sa lettre à Boris-Michel, et pourtant cela aurait pu rehausser le prestige de son siège.

Au contraire, si nous parcourons un autre écrit de Photius, sa *Bibliotheca*, nous en tirons l'impression que Photius se méfiait de cette légende. Il semble ne rien connaître de la liste des évêques de Byzance, de Stachys à Métrophane, bien qu'il cite deux ouvrages — aujourd'hui perdus — où on pouvait s'attendre à l'y trouver mentionnée, l'Histoire de l'Église écrite par Gélase, évêque de Césarée de Palestine, et un ouvrage intitulé *Politeia*, qui racontait la vie de Métrophane, d'Alexandre son successeur, et celle de Constantin le Grand [2].

Photius avait lu aussi les Actes apocryphes d'André et ceux des autres Apôtres. Il avait pu y trouver la mention d'un séjour d'André à Byzance, celle même qui avait inspiré l'inventeur de l'ordination de Stachys par André. Mais Photius, tout au contraire, se montrait très défiant de ces histoires, puisqu'il dit que ces écrits sont remplis de renseignements mensongers et hérétiques, et qu'il invite le lecteur à s'en méfier [3].

La raison la plus décisive pour laquelle Photius ne pouvait avoir inventé ni utilisé cette légende, c'est le *Typicon* de Sainte-Sophie, un livre liturgique qui

---

1. On n'en trouve aucune trace dans les lettres de Nicolas, ni dans celles d'Hadrien II, ni non plus dans les polémiques de Ratramme de Corbie et d'Énée de Paris, écrites sur l'invitation de Nicolas après réception du rapport des missionnaires latins. Pour plus de détails, voir mon livre *The Idea of Apostolicity*, pp. 248-253.

2. *Bibliotheca*, codex 88, 256 ; *P.G.*, 103, col. 289 ss. ; 104, col. 105-120.

3. *Ibid.*, codex 114 ; *P.G.*, 103, col. 389.

contient les fêtes célébrées à Constantinople dans cette grande église, ainsi que les prescriptions liturgiques [1]. Ce *Typicon* est combiné avec un *Synaxarion* de Constantinople, et il semble avoir été révisé et réédité vers la fin du ixᵉ siècle, presque certainement sous le second patriarcat de Photius [2]. Il est important de noter que la fête de S. André s'y trouve indiquée au 30 novembre, mais de façon très brève, sans la mention de Stachys ni du séjour d'André à Byzance. La fête de Stachys ne se trouve pas dans le Typicon-synaxaire. Ce qui veut dire que, pendant le deuxième patriarcat de Photius (879-886), la tradition légendaire d'André n'était pas encore officiellement acceptée dans l'Église byzantine. Si c'est Photius qui a ordonné la révision de ce Typicon, et s'il n'y a pas fait introduire la légende d'André, il est alors évident que lui-même n'y croyait pas et qu'il ne pouvait l'utiliser dans sa polémique avec Rome.

Tout semble indiquer que la légende n'est devenue populaire et n'a été vraiment acceptée à Byzance qu'au cours du xᵉ siècle. La réédition de la Vie d'André par le fameux hagiographe Syméon Métaphraste [3] contribua à populariser cette légende et c'est ainsi qu'elle fut introduite, en même temps que l'ordination et la fête de Stachys, dans les synaxaires du xᵉ siècle [4]. En général ces synaxaires trouvèrent les matériaux pour la fête de Stachys, célébrée le 30 juin, et pour André, dans le récit du Pseudo-Dorothée.

---

1. A. DIMITRIJEVSKIJ, *Opisanie liturgič. rukopisej. Typica*, vol. 1, Kiev, 1895, p. 27. Nouvelle édition par Juan MATEOS, « Le Typicon de la Grande Église », dans *Orientalia Christiana Periodica* (vol. 165-166, Rome, 1962-1963), vol. 165, p. 116.

2. Cf. A. BAUMSTARK, « Das Typikon der Patmos-Handschrift 266 », dans *Jahrbuch für Liturgiewissenschaft*, 6 (1926), pp. 98-111. Juan Mateos, *op. cit.*, vol, 165 (1962), dans son introduction à l'édition (pp. X ss.), a montré que l'argumentation de Baumstark présentait plusieurs points faibles. Mais il admet, lui aussi, que le manuscrit Cod. 266 du Monastère de Saint-Jean-le-théologien dans l'île de Patmos a été écrit à la fin du ixᵉ siècle, ou au début du xᵉ au plus tard. L'écriture est l'écriture minuscule utilisée à Byzance aux ixᵉ et xᵉ siècles. La fête d'André est décrite d'une façon identique dans tous les manuscrits connus. Voir plus loin, page 101, ce qui est dit de la canonisation d'Ignace par le patriarche Photius lui-même.

3. Publiée dans les *Menaia* (éd. Venise, 1843), pp. 235 ss. ; rééditée dans le *Menaion* de novembre, Athènes, 1926, pp. 318-325.

4. E. DELEHAYE, *Synaxarium Ecclesiae Constantinopolitanae*, Acta Sanctorum, Propylaea, novembre (Bruxelles, 1902), col. 265 ss.

Cela devrait suffire pour écarter définitivement l'attribution à Photius du pamphlet signalé plus haut. Au
ixe siècle la légende d'André ne pouvait pas encore
jouer un rôle tel que celui qui lui est donné dans ce
pamphlet.

* *
*

Quelle était donc l'attitude de Photius à l'égard de
la primauté romaine ? Faut-il vraiment le regarder
comme l'ennemi le plus acharné de la primauté ? Des
études récentes montrent qu'on doit, sur ce point,
changer radicalement d'opinion. On ne doit pas oublier
tout d'abord que des évêques qu'Ignace avait jugés pour
des raisons canoniques — Grégoire Asbestas de Syracuse,
Zacharie, métropolitain de Chalcédoine, Théophile,
évêque d'Amorium — en ont appelé à Rome en vertu
du canon du synode de Sardique (343) qui autorisait
de tels appels. Or ces évêques appartenaient au groupe
des défenseurs de Photius. Ce fait est intéressant car il
montre, pour le moins, que les sectateurs de Photius
n'étaient pas aussi hostiles à Rome qu'on voulait bien
le dire.

Les appels de Byzance à Rome étaient assez rares.
On se souvient sans doute des fameux appels de S. Jean
Chrysostome et de S. Flavien, mais ici des questions
doctrinales se trouvaient impliquées. Quand il s'agissait
de doctrine les recours à Rome étaient nombreux [1].
Quant aux autres cas, nous connaissons l'appel d'Étienne,
de Larissa en Illyricum, dont l'élection avait été cassée
par le patriarche de Constantinople, Épiphane. Le
pape reçut cet appel et convoqua un synode qui se
prononça en faveur d'Étienne [2]. Nous ne connaissons
malheureusement pas les Actes de ce synode. On peut
dire néanmoins que, dans ce cas, l'Illyricum faisait

---

1. Sur les recours à Rome, voir P. Batiffol, *Cathedra Petri*, Paris, 1938,
pp. 215 ss. Cf. aussi P. Bernadakis, « Les appels au pape dans l'Église grecque
jusqu'à Photius », dans *Échos d'Orient*, 6 (1903), pp. 30-42, 118-125, 249-257.
2. Cf. G. Bardy, « Boniface II », dans *Dict. d'Hist. et de Géogr. ecclés.*, vol. 9,
Paris, 1937, p. 897. Pour plus de détails, voir L. Duchesne, *Autonomies ecclésiastiques, Églises séparées*, Paris, 1896, pp. 245-260.

partie du patriarcat romain. Il était donc tout à fait
naturel que l'on fasse appel à Rome contre l'intervention du patriarche de Constantinople. Plus intéressant
est le cas du prêtre Jean de Chalcédoine et du moine
Athanase qui firent appel au pape Grégoire le Grand
avec l'autorisation de leur supérieur, le patriarche
Jean IV de Constantinople [1].

On a dit que le patriarche Ignace avait fait appel au
pape Nicolas Ier contre « l'usurpation » de Photius. Mais
des découvertes récentes ont montré qu'Ignace n'avait
pas fait appel, et ce qui le prouve, c'est sa déclaration
catégorique au synode de Constantinople en 861 :
« Ego non appellavi Romam, nec appello [2]. » L'appel
que fit à Rome le moine Théognoste en 863, soi-disant
en son nom, était donc un faux appel, qui trouvait à
Rome une autre atmosphère. Ce fait a tout de même
son importance, car il montre qu'à Byzance, au IXe siècle,
on se rendait compte qu'un appel à Rome pour des
questions disciplinaires était une chose possible.

Tout cela explique les déclarations faites par les Pères
du synode de 861 qui s'était réuni pour juger le cas
d'Ignace. A ce synode, les légats pontificaux, Rodoald,
évêque de Porto, et Zacharie, évêque d'Agnani, ne cessèrent de déclarer qu'ils se conformaient aux canons
du synode de Sardique qui donnaient au pape le droit
de juger un autre évêque. Même si Ignace n'a pas
appelé, le fait que l'Église byzantine ait reconnu aux
représentants du pape le droit de juger son ancien
patriarche dans une affaire disciplinaire est significatif.
Peu importe si les légats n'avaient pas reçu du pape
le droit de prononcer un jugement définitif en son nom.
Le fait que le pape et l'Église byzantine leur aient donné
le droit d'examiner le cas est important.

A ce propos, ce que les légats et les évêques byzantins
déclaraient au cours de la deuxième session du synode
est très significatif : « Croyez-nous, frères, disaient les

---

1. Voir plus haut, page 71.
2. Voir l'édition des Actes du synode de 861 par W. v. GLANVELL, *Die Kano-
nensammlung des Kardinals Deusdedit*, Paderborn, 1905, p. 607.

légats, c'est parce que les Pères du concile de Sardique ont décidé que l'évêque de Rome aurait le pouvoir de rouvrir la cause de chaque évêque que, nous appuyant sur cette autorité, nous désirons réexaminer le cas. » Et l'évêque Théodore de Laodicée leur répondait au nom de l'Église de Constantinople : « Notre Église s'en réjouit ; elle n'a aucune objection là contre, et elle ne s'en trouve nullement offensée. » Ce sont là paroles importantes qui montrent qu'en 861, l'Église de Constantinople avait enfin accepté les canons de Sardique qui, jusqu'à cette époque, n'avaient pas été observés par elle [1]. Or le promoteur de ce synode était Photius, et l'évêque Théodore était son porte-parole. Malheureusement le synode fut rejeté en 863 par le pape Nicolas Ier, et ses Actes furent détruits par ordre du Concile de 869-870. Ces Actes se trouvaient dans les archives du Latran, et c'est là qu'au XIe siècle, le cardinal Deusdedit les découvrit. Ayant compris l'importance de leurs déclarations pour la primauté romaine, le cardinal en inséra des extraits dans sa collection canonique. Il fut malheureusement le seul à le comprendre. Les autres canonistes du temps de Grégoire VII, qui avaient ouvert les archives pontificales, se contentèrent de copier des extraits du Concile de 869-870 qui avait condamné Photius et qui, dix ans après, fut déclaré invalide. Ils ne s'aperçurent même pas que ce concile

---

1. C'est de cette manière qu'il faut entendre ce que Photius disait dans sa lettre à Nicolas Ier, *P.G.*, 102, col. 600, 601, 604. Il avait plutôt en vue le canon qui interdisait l'élévation des laïcs à l'épiscopat. Cf. les lettres de Nicolas à Photius, *Mon. Germ. Hist.*, Epistolae, vol. 6, pp. 450, 537, 538. Dans la première lettre de 862, Nicolas mentionne seulement le canon 13 du synode de Sardique (MANSI, vol. 3, col. 27), interdisant l'élévation des laïcs aux hautes dignités ecclésiastiques. Dans sa lettre de 866 (*l. c.*, pp. 537-538), il insiste encore sur le même canon, mais il pense aussi au canon 3 (MANSI, 3, col. 23), puisqu'il mentionne l'appel du jugement du patriarche au pape que firent les évêques Zacharie et Grégoire de Syracuse. Le pape a raison quand il dit que les canons de Sardique se trouvent dans la collection canonique grecque de Jean le Scolastique, au VIe siècle (*Synagoga 50 titulorum*, publié par V. BENEŠEVIČ à Munich en 1937, p. 64, canon 3), mais que le canon 13 ne s'y trouve pas. Le fait que le canon 3 se trouvait dans la collection grecque explique pourquoi le patriarche Ignace ne pouvait ignorer l'appel des évêques condamnés par lui. Cela explique aussi l'attitude des évêques byzantins au concile de 861 devant les affirmations des légats invoquant le canon du synode de Sardique. Les évêques byzantins n'étaient sans doute pas disposés à aller aussi loin que les légats dans l'interprétation du canon 3, mais ils se voyaient cependant obligés de l'accepter.

développait l'idée pentarchique que ces mêmes canonistes rejetaient. Ils furent ainsi, sans le savoir, les
premiers responsables de l'origine et du développement
de ce que nous pouvons appeler la légende photienne.
On peut imaginer ce qui serait arrivé si les canonistes
du moyen âge avaient eu connaissance des Actes du
synode de 861. Ils les auraient certainement exploités
dans leur argumentation en faveur de la primauté du
siège romain sur l'Église entière.

***

D'un autre côté Photius est sévèrement critiqué par
les théologiens occidentaux qui l'accusent d'avoir changé
les lettres que le pape Jean VIII avaient envoyées à
Photius, à l'empereur et aux Pères, avant le concile
de 879-880 qui devait réhabiliter Photius. Il est vrai
que la chancellerie patriarcale avait supprimé, dans
ces lettres, tout ce qui pouvait jeter une lumière fausse
sur le cas de Photius. Mais ces changements avaient été
faits avec le consentement des légats qui s'étaient
convaincus que le cas de Photius, son « usurpation »
— il avait été canoniquement élu —, sa déposition —
la grande majorité du clergé considérait cette déposition
comme injuste et était restée fidèle à Photius pour cette
raison —, et ses autres agissements avaient été présentés
à Rome de façon fausse par ses adversaires. A cette
époque les communications [1] entre Rome et Constantinople étaient fort difficiles et, pour sauver le prestige
du Saint-Siège, les légats avaient décidé d'accepter
les faits tels qu'ils étaient, et de ne pas prolonger l'incident par une nouvelle démarche à Rome, espérant
pouvoir plus tard expliquer leur manière d'agir au
pape Jean VIII.

Ils pouvaient être presque assurés que le pape approu-
verait leur initiative, car ils avaient appris à Constantinople des choses que ne connaissait pas Jean VIII et

---

1. Cf. ce que j'en ai dit dans mon livre *Le Schisme de Photius*, Les éd. du
Cerf, Paris, 1950, p. 206.

qui changeaient considérablement l'aspect du problème
photien. Ils avaient appris que Photius et Ignace
s'étaient réconciliés avant la maladie de ce dernier,
que Photius avait même utilisé ses connaissances en
matière médicale pour soulager les souffrances de son
adversaire d'autrefois, et que l'initiative pour la convocation du concile où ils avaient à représenter le Saint-
Siège ne venait pas seulement de Photius et de l'Empereur, mais aussi d'Ignace lui-même. Si Ignace avait été
encore en vie à leur arrivée à Constantinople, tout
aurait sans doute été différent et la légende photienne
ne se serait probablement jamais formée. De plus, les
légats apprirent aussi que Photius lui-même avait
canonisé solennellement Ignace après la mort de celui-
ci [1]. Tout cela contribua à les convaincre que les renseignements que l'on avait à Rome sur cette affaire étaient
bien incomplets, et qu'ils n'avaient été fournis que par
les ennemis de Photius, qui étaient sans doute acharnés
— ils ont pu s'en convaincre sur place —, mais fort peu
nombreux.

En ce qui concerne les droits de Rome et sa primauté,
les légats pouvaient être satisfaits, quand ils virent
qu'un passage important, affirmant la primauté romaine,
avait été laissé et même souligné dans la version grecque
d'une des lettres du pape. Voici le passage en question.
Ce sont les paroles du pape dans sa lettre à l'Empereur [2] : « Comme nous avons pensé qu'il serait bon de

---

1. Les renseignements sur la réconciliation d'Ignace et de Photius et sur la
canonisation d'Ignace par Photius sont donnés par un antiphotianiste dans un
document que j'ai eu la chance de trouver dans un Ms. du Mont Sinaï (Sinait.
gr. 482 1117, fol. 364ᵛ, lignes 32, 36-38). Pour plus de détails, voir F. DVORNIK,
The Patriarch Photius in the Light of recent Research, Munich, 1958, pp. 20, 35,
39, 56. Le document — une autre version du Synodicon Vetus, publié par
J. Pappe dans J. A. FABRICIUS-G. C. HARLES, *Bibliotheca Graeca*, vol. 12,
Hambourg, 1809 — sera publié par *Dumbarton Oaks*. Il existe un second manuscrit renfermant les mêmes renseignements.
   La fête d'Ignace a été inscrite, au 22 octobre, dans le *Typicon*, réédité sous le
deuxième patriarcat de Photius. Il se peut même que la mosaïque donnant le
portrait d'Ignace, qui a été découverte récemment à Sainte-Sophie à Istanbul,
ait été également composée sur l'initiative de Photius. Ce portrait a été publié
pour la première fois par C. MANGO, dans son livre *Material for the Study of the
Mosaics of St. Sophia at Istanbul*, in « Dumbarton Oaks Studies », nᵒ 8 (1962),
pp. 61 ss., table 62.
   2. MANSI, 17, col. 400. La mention de Jérémie ne se trouve pas dans la version
latine originale.

pacifier l'Église de Dieu, nous vous avons envoyé nos
légats, pour qu'ils puissent exécuter notre volonté,
bien que votre piété, en rétablissant Photius, nous ait
déjà devancé. Mais nous acceptons cela, non par notre
propre autorité, quoique nous ayons pouvoir de le faire,
mais en obéissant aux institutions apostoliques. Ayant
reçu en effet les clefs du Royaume céleste du grand
prêtre Jésus-Christ par l'intermédiaire du premier des
Apôtres, à qui le Seigneur a dit : 'Je te donnerai les
clefs du Royaume des cieux ; tout ce que tu auras lié
sur la terre se trouvera lié dans les cieux, et tout ce que
tu auras délié sur la terre se trouvera délié dans les
cieux', ce trône apostolique a le pouvoir de tout lier
et de tout délier [1], et, selon les paroles de Jérémie, de
déraciner et de planter. C'est pourquoi, par l'autorité
de Pierre, le prince des Apôtres, nous vous annonçons,
avec toute notre Église, et, par votre intermédiaire,
nous annonçons à nos chers confrères et cocélébrants,
les patriarches d'Alexandrie, d'Antioche et de Jérusalem, aux autres évêques et prêtres et à toute l'Église
de Constantinople, que nous sommes d'accord avec
vous, ou plutôt avec Dieu, et que nous consentons à
votre demande... Acceptez cet homme sans hésita-
tion. »

Ces paroles sont claires. Le fait que ce passage du
texte latin ait été laissé dans la version grecque, et
même souligné par l'adjonction des paroles de Jérémie
(Jér., I, 10), est très significatif de l'attitude qu'avaient
Photius et sa chancellerie vis-à-vis de la primauté
romaine. Ce fameux passage de Jérémie avait été appliqué, en 866, par Nicolas Ier à l'empereur Michel [2] :
« Regarde, aujourd'hui je t'établis sur les nations et
sur les royaumes, pour arracher et renverser, pour
exterminer et démolir, pour bâtir et planter. » Il est

---

1. Il est à remarquer que la version grecque cite ici Mat., 16, 19. Ce passage
doit être interprété comme s'adressant directement à Pierre, qui est ainsi investi
d'une juridiction universelle. On sait que Mat., 16, 18 a souvent été interprété
en Orient comme se rapportant à la foi de l'Apôtre (sur cette pierre), et non à sa
personne. Cf. F. Dvornik, *Le Schisme de Photius*, p. 187.

2. *Monum Germ. Histor.*, Epistolae, vol. 6, p. 509 ; *P.L.*, 109, col. 1042.

plus que probable que Photius et sa chancellerie connaissaient cette lettre du pape et que le passage en
question n'avait pas échappé à leur attention. Cela
donne un intérêt particulier à l'adjonction du passage
dans la version grecque de la lettre de Jean VIII et
à son application au pape [1].

Il est regrettable que ce passage ait été, jusqu'à
présent, complètement oublié par les historiens et les
théologiens modernes [2]. Mais un des plus grands canonistes du moyen âge, Yves de Chartres [3], en a compris
l'importance et l'a inséré dans sa collection canonique.
Lui-même et d'autres canonistes médiévaux l'ont utilisé
comme un argument important pour prouver que le
pape, en raison de la plénitude du pouvoir qu'il détient,
pouvait annuler n'importe quelle sentence.

L'existence de ce passage dans les versions grecques
des lettres pontificales ne constitue pas un cas isolé.
Au début de cette même lettre, Photius a placé une autre
citation de l'Évangile qui est considérée comme un
argument scripturaire en faveur de la primauté, Jean 21,
17. Cette partie de la version grecque est plus longue
que la version originale. Après avoir souligné le respect
pour Rome que l'Empereur a montré en envoyant
une ambassade au pape dans l'affaire de Photius, le
patriarche dit au pape [4] : « On peut se demander quel
est le maître qui vous a appris à agir de cette façon ? —
C'est certainement, avant tout, le coryphée des Apôtres,
Pierre, que le Seigneur a placé à la tête de toutes les
Églises, lorsqu'il lui a dit : Pais mes brebis (Jean 21, 17).
C'est non seulement lui, mais aussi les saints synodes et
constitutions. Et c'est encore les saints et orthodoxes
décrets établis par les Pères, comme en témoignent aussi
vos divines et pieuses lettres. »

---

1. Ce passage se trouve dans le formulaire de la messe *pro confessore summo Pontifice.*
2. Même les éditeurs des lettres de Photius dans les *Monumenta Germaniae hist.*, Epistolae, vol. 7, p. 167 ss., ont omis cette phrase.
3. *Decretum, P.L.*, 161, col. 56 ss.
4. Mansi, 17, col. 396 D ; *M.G.H.*, Ep. VII, p. 167.

De même, dans la lettre adressée par le pape aux patriarches orientaux et à l'Église de Constantinople [1], l'auteur de la version grecque a conservé le passage de Luc, 22, 32, qui est également souvent cité parmi les arguments scripturaires en faveur de la primauté romaine : « J'ai prié pour toi, afin que ta foi ne défaille pas. Toi donc, quand tu seras revenu, affermis tes frères. » Ajoutons encore que, partout, Photius parle de Pierre avec le plus grand respect, l'appelant le chef et le coryphée des Apôtres [2].

Dans cette correspondance, la requête que le pape avait faite, à savoir que Photius aurait à demander pardon devant les Pères conciliaires, a naturellement été omise. Cela ne doit pas surprendre. Lorsqu'il écrivait, le pape était encore sous le coup des renseignements que les ennemis de Photius avaient répandus à Rome et en Occident. Mais Photius et son clergé considéraient sa déposition et la persécution qu'il avait subie comme une grande injustice, et ils avaient quelque raison de le penser. Les légats qui, sur place, à Byzance, avaient été mis au courant de la véritable situation, ne pouvaient que donner leur assentiment à cette omission.

Un autre détail mérite aussi d'être souligné. Nous avons vu [3] que, chaque fois que, dans la lettre du pape à l'impératrice, Pierre était mentionné comme le fondateur du siège de Rome, la chancellerie de Taraise avait fait ajouter le nom de Paul. Il est intéressant de noter que Photius, au contraire, ne l'a pas fait. Cela montre bien que lui-même et ses contemporains avaient accepté la tradition que l'on suivait à Rome depuis le IVe siècle et qui attribuait la fondation du siège romain à Pierre seul. On peut voir là un nouveau rapprochement de la mentalité byzantine et des idées romaines.

---

1. MANSI, 17, col. 452 ; *M.G.H.*, Epistolae, vol. 7, p. 177.
2. Voir aussi ce qu'il dit de S. Pierre dans ses homélies. Cf. C. MANGO, *The Homilies of Photius*, Cambridge, Mass., 1958, p. 50 : « fondement de l'Église, porteur des clefs du ciel » ; p. 59 : « porteur des clefs du ciel » ; p. 312 : « porteur des clefs du ciel, fondement et rocher de la foi ». Cf. aussi Th. SPAČIL, *op. cit.*, pp. 38-41.
3. Voir plus haut, page 86.

.*.
* *

On pense souvent que c'est en 867, à l'occasion du
synode oriental qui condamna le pape Nicolas Ier, que
Photius aurait dénié à Rome la primauté et l'aurait
transférée à Byzance. Malheureusement les Actes de ce
synode ont été détruits, de sorte qu'il est presque impossible de connaître la manière exacte dont les choses se
sont passées. Il est difficile de dire, par exemple, comment
et de quelle façon Nicolas Ier a été condamné. Il est
toutefois intéressant de noter que l'homélie que Photius
prononça au moment de la conclusion du synode, la
seule pièce officielle probablement qui ait été conservée [1],
ne renferme aucune attaque contre Rome, contre la
papauté, contre la personne de Nicolas Ier, ni contre
l'Église d'Occident. On peut dire que le synode condamna
les « erreurs » répandues par les missionnaires romains
en Bulgarie, erreurs que Photius avait énumérées dans
sa lettre encyclique aux patriarches orientaux [2], et que
le pape fut accusé d'avoir « envahi » le territoire bulgare
revendiqué par Byzance, et de n'avoir pas respecté le
statut autonome de l'Église byzantine en condamnant
son patriarche qui avait cependant été canoniquement
élu.

Y eut-il excommunication formelle ? On ne voit pas
très bien comment cela aurait pu s'accorder avec les
usages traditionnels de l'Église. Une rupture des relations jointe à la condamnation mentionnée plus haut
aurait pu être regardée comme une exclusion de la
communion avec les autres Églises. En tout cas, même
s'il y a eu condamnation formelle, cette condamnation
n'a pas été dirigée contre Rome ni contre la papauté
comme telle, mais simplement contre la personne d'un
pape. Byzance avait déjà connu un cas similaire, beaucoup plus grave même puisqu'il s'agissait de doctrine,
le cas du pape Honorius [3]. Manifestement cette condam-

---

1. Cela a été montré par C. Mango, *The Homilies of Photius*, pp. 296 ss.
2. *P. G.*, 102, col. 732 ss.
3. Cf. plus haut, page 81.

nation, quoique beaucoup plus sérieuse, avait été également dirigée contre la personne du pape Honorius, et non contre l'institution qu'il avait représentée.

D'une autre source [1], nous apprenons que l'empereur Michel III et son consort Basile avaient envoyé une copie des Actes du synode de 867 à l'empereur d'Occident Louis II. Ils lui offraient de reconnaître son titre impérial s'il déposait Nicolas Ier en se conformant aux Actes du synode qui contenaient les raisons de sa condamnation.

Ce rapport est très important par la conclusion qu'on en peut tirer. Car, si les empereurs voulaient gagner la faveur de Louis II, les Actes du synode ne pouvaient renfermer aucune condamnation de l'Église d'Occident, aucune dénégation de la primauté romaine comme telle, c'est-à-dire aucune attaque formelle contre la papauté et aucun transfert de la primauté de Rome à Constantinople. Tout cela aurait été en effet inacceptable par Louis II et les Occidentaux dont on sollicitait le soutien.

*   *
*

Mais il y a autre chose qui n'est pas moins important. Quand on étudie les relations entre Rome et Byzance, il ne faut jamais oublier que les Byzantins regardaient leur Empire comme une continuation de l'Empire romain et qu'eux-mêmes s'appelaient *Romaioi*, Romains. Il était donc impossible qu'ils puissent jamais dégrader Rome, en attribuant à l'évêque de Rome la deuxième place, après celle de Constantinople. Rome restait la première capitale, le fondement de leur Empire, et l'évêque de Rome devait toujours rester le premier. Un transfert de la primauté ailleurs qu'à Rome était impensable.

On sait combien les Byzantins étaient soucieux de maintenir vivante l'idée d'un empire chrétien universel, ayant à sa tête un empereur romain résidant dans la

---

1. Nicétas, *Vita Ignatii*, *P.G.*, 105, col. 537 ; Mansi, 16, col. 417. Cf. F. Dölger, *Byzanz und die europäische Staatenwelt*, Ettal, 1953, pp. 313 ss.

nouvelle Rome, Constantinople. Le couronnement de
Charlemagne par Léon III en l'an 800 était apparu, aux
yeux des Byzantins, comme l'expression d'une révolte
contre l'Empereur légitime, et Charlemagne avait été
considéré comme un usurpateur. La guerre qui suivit
cette « usurpation » ne se termina qu'en 812, lorsque les
ambassadeurs byzantins eurent acclamé Charlemagne
comme empereur à Aix-la-Chapelle. Les Byzantins inter-
prétèrent ce geste en ce sens que Charlemagne était
reconnu comme co-empereur régnant sur la partie occidentale de l'Empire romain. Ainsi se trouvait sauvée
l'idée de l'unité de l'Empire universel ayant son empereur suprême dans la nouvelle Rome [1].

Il est très important de se rendre compte que l'idée
de l'unité de l'Empire romain était encore très vivante
à Byzance en 867. L'offre faite à Louis II de reconnaître
officiellement son titre impérial était un nouvel essai
pour manifester et pour confirmer cette unité. Il nous
est même permis de supposer que Photius lui-même se
faisait le propagateur de cette idée. La lecture de sa
Bibliotheca nous montre jusqu'à quel point le savant
patriarche était imbu des idées de l'époque classique
qu'il connaissait fort bien et admirait beaucoup [2]. Il
était le gardien des anciennes traditions à Byzance.
Cela nous incite à aller plus loin et à écarter toute supposition laissant croire que les Actes, dont une copie
avait été envoyée à Louis II, aient pu contenir la moindre
chose offensante pour un Occidental, et tout spécialement une attaque contre la primauté romaine ou une
condamnation des usages de l'Église latine. Cela, en
effet, aurait été la plus mauvaise méthode pour gagner
les sympathies de Louis II et l'induire à déposer le pape

---

1. Cf. F. DÖLGER, *op. cit.*, pp. 282 ss. Sur Charlemagne, ses idées et ses relations avec Byzance, voir mon livre *The Making of Central and Eastern Europe*,
Londres, 1949, pp. 1-7, 41-47. Le problème du couronnement de Charlemagne,
le rôle que joua le pape Léon III à cette occasion, et la réaction des Byzantins
à cet acte « révolutionnaire » ont été étudiés récemment par W. OHNSORGE
dans son étude « Das Kaisertum der Eirene und die Kaiserkrönung Karls des
Grossen », *Saeculum*, 14 (1963), pp. 221-247.
2. Voir mon étude « Patriarch Photius Scholar and Statesman », dans *Clas-
sical Folia*, 13 (1959), pp. 3-18 ; 14 (1960), pp. 3-22.

Nicolas Ier, avec lequel, d'ailleurs — on ne l'ignorait pas à Byzance —, il n'avait pas toujours été en meilleurs termes.

En somme, l'affaire photienne qui, jusqu'à des jours récents, était considérée comme la plus désastreuse pour l'agrément de la primauté romaine à Byzance, s'était terminée par le plein accord de Byzance et de Rome. La réhabilitation de Photius fut acceptée par Jean VIII, Photius renonça à la juridiction sur la Bulgarie, à la condition sans doute que le clergé grec n'en soit pas expulsé, l'empereur Basile Ier fournit au pape un appui militaire dans sa lutte contre les Arabes, et, bien qu'il ait été amené par Léon VI à abdiquer et à céder la place au frère de l'Empereur, Étienne, Photius, qui s'était retiré dans un monastère, mourut en communion avec Rome.

C'est sans nul doute sous le patriarcat de Photius qu'on pouvait trouver des documents importants pour appuyer la primauté romaine, telle qu'elle pouvait être conçue et acceptée à Byzance. Or, par une tragique ironie de l'histoire, ces documents sont demeurés inconnus, ils ont été écartés au moment où survint le désaccord, et c'est lui, Photius, qui fut « promu » au titre d'adversaire le plus acharné de la primauté romaine [1].

Il y a encore une chose qu'il ne faudrait pas oublier et qui est également liée à l'histoire de Photius. On sait que l'empereur Basile voulut remplacer l'*Ecloga*, le manuel de droit byzantin qu'avait introduit l'empereur iconoclaste Léon III, par une autre collection canonique destinée à l'usage officiel. Les deux commissions nommées par l'Empereur présentèrent à Basile deux manuels, le *Procheiron* et l'*Epanagogué*. Ce dernier est particulièrement intéressant car il est une illustration de la position

---

1. Il est également regrettable que le synode ignatien de 869-870, qui a condamné Photius, soit toujours compté par les canonistes occidentaux parmi les conciles œcuméniques, comme le huitième. Les Orientaux considèrent que ce concile a été supprimé par le synode d'union de 879-880 et ne reconnaissent que sept conciles œcuméniques. Ils en veulent aux Occidentaux de leur refuser cette petite concession, bien qu'il ait été démontré que ce concile a été ajouté aux sept premiers conciles par les canonistes réformateurs aux XIe et XIIe siècles seulement. Voir F. Dvornik, *Le Schisme de Photius*, pp. 423-449.

que le *sacerdotium* avait acquise à Byzance après la victoire sur l'iconoclasme. Les deuxième et troisième paragraphes de l'introduction à ce manuel définissent les droits et les devoirs respectifs de l'empereur et du patriarche dans le domaine religieux.

D'après ce document, l'empereur « doit défendre et propager en premier lieu tout ce qui est écrit dans la Sainte Écriture ; ensuite, tous les dogmes approuvés par les saints synodes ; il doit aussi suivre les lois romaines ». Il est évident que l'auteur de ce texte vise à limiter les pouvoirs de l'empereur dans le domaine ecclésiastique et à prévenir ses interventions dans les questions doctrinales. Il se souvenait sans doute de la dernière intervention, celle des empereurs iconoclastes.

D'autre part, le paragraphe 3 définit ainsi les droits du patriarche : « Le patriarche est seul habilité à interpréter les règles des anciens patriarches, les prescriptions des saints Pères et les décisions des saints synodes. » Les droits exclusifs du *sacerdotium* en matière doctrinale sont exprimés là plus énergiquement et plus clairement qu'ils ne l'avaient peut-être jamais été dans le passé.

On pense avec raison que c'est Photius qui avait inspiré la rédaction de ces deux paragraphes. Il voulait en finir à jamais avec les conflits qui opposaient l'*imperium* et le *sacerdotium* dans le domaine ecclésiastique et définir une fois pour toutes les droits de l'Église en matière doctrinale. La période des luttes religieuses devait se terminer définitivement par le triomphe de l'Église. Tous les défenseurs du droit de l'Église contre les interventions impériales devaient être évoqués. Et l'on pensait surtout aux courageux héros des luttes antimonothélite et antiiconoclaste.

Cependant l'*Epanagogué* ne devint pas le manuel officiel du droit byzantin [1]. L'Empereur fit choix du *Procheiron*. Pourquoi ? On peut imaginer qu'il craignit une limitation par trop radicale de ses droits. Il est possible aussi que l'épiscopat byzantin ne souhaitait pas telle-

---

1. Contrairement à ce que pense Y. M.-J. CONGAR, *Conscience ecclésiologique*, p. 210.

ment l'extension du privilège du patriarche revendiquant pour lui seul le droit d'interpréter les dogmes. Selon la coutume byzantine, un tel droit appartenait aux évêques réunis en concile.

Malgré cela, l'*Epanagogué* n'en continua pas moins à être utilisé à titre privé, et plusieurs auteurs d'ouvrages juridiques ont inséré dans leurs manuels quelques titres de l'*Epanagogué* [1].

Ainsi se termina cette longue période de l'histoire byzantine qui fut caractérisée par les luttes doctrinales. Une ère nouvelle s'ouvrait dans les relations de l'*imperium* et du *sacerdotium*. La personnalité de Photius y a largement contribué.

---

1. Pour plus de détails, cf. F. Dvornik, *The Idea of Apostolicity*, pp. 271-275.

CHAPITRE VII

LA CRISE DU ONZIÈME SIÈCLE

Byzance et Rome au xe siècle. — Incident sous Serge IV, les conquêtes normandes. — Les réformistes et l'Église d'Orient. — Michel Cérulaire, Léon IX, Humbert. — Grégoire VII et les Byzantins. — Autour du synode de 1089. — Théophylacte d'Ochrida et la primauté. — Les croisés et l'Union. — Nicétas de Nicomédie et la primauté.

On espérait à Byzance que le concile d'union de 879-880 allait ouvrir une période de bonnes relations entre Byzance et Rome. L'entente entre les deux Églises semblait scellée pour toujours — du moins le croyait-on alors — par le premier canon de ce synode [1] et par la proclamation faite au cours de la quatrième session qui déclarait que chaque Église conserverait ses coutumes propres et ses droits [2]. Cela paraissait une base solide pour de bonnes relations entre les deux Églises.

La chose avait son importance, car les deux Églises — nous l'avons signalé dans l'introduction [3] — ne suivaient pas les mêmes usages en matière de législation canonique. Les Byzantins se contentaient des soi-disant

---

1. Mansi, 17, col. 497. Il était déclaré dans ce canon que les sentences du pape contre quiconque en Orient devraient recevoir l'agrément du patriarche de Constantinople, et vice versa. « Pourtant, poursuivait le canon, les privilèges qui appartiennent au très saint siège de l'Église de Rome ou à son évêque ne devront subir aucun changement, ni maintenant, ni plus tard. »

2. *Ibid.*, col. 489 : « Le saint synode a dit : Chaque siège possède un certain nombre de vieux usages traditionnels. Il n'y aura plus lieu d'en discuter ou de se quereller à ce sujet. Il est juste que l'Église romaine conserve ses usages. Mais que l'Église de Constantinople conserve aussi les quelques coutumes qu'elle a héritées du passé. Qu'il en soit de même pour les autres sièges orientaux. »

3. Voir page 19.

« canons apostoliques » et des décisions des conciles œcuméniques ou de certains synodes locaux, qu'ils complétaient par les ordonnances impériales en matière religieuse. En Occident, on commença, à partir du VIe siècle, à ajouter aux canons conciliaires les décrétales des papes, sans se soucier de la législation impériale [1]. Lorsqu'on discuta de la valeur des canons de Sardique dans l'affaire d'Ignace et de Photius, on se rendit compte des complications qui naissaient des différences d'acceptation et d'interprétation de certains canons.

Le canon du Concile d'union et la déclaration faite pendant la quatrième session avaient en vue ces différences. La tolérance réciproque vis-à-vis des pratiques et usages différents était exigée si l'on voulait éviter, à l'avenir, de nouveaux conflits entre les deux Églises. Une nécessité qui, malheureusement, ne devait être observée ni par l'une ni par l'autre partie.

L'histoire du quatrième mariage de l'empereur Léon VI, considéré comme illicite par l'Église d'Orient, montre que le droit d'appel au pape continuait à être admis et pratiqué à Byzance. L'empereur Léon VI, à qui le patriarche Nicolas le Mystique avait refusé la permission de conclure un quatrième mariage, s'était tourné vers Rome et vers les autres patriarches, leur demandant si un tel mariage était permis. Le pape Serge III (904-911) sanctionna ce mariage, bien qu'un schisme devait en résulter à l'intérieur de l'Église byzantine. L'initiative de Léon VI peut être regardée à juste titre comme un appel à Rome dans une question disciplinaire [2].

Il est vrai qu'en 920, lorsque Nicolas le Mystique, réinstallé dans son office par le régent et co-empereur Romain Ier Lécapène (920-944), convoqua un synode local, le quatrième mariage fut condamné par lui en présence des légats du pape Jean X. Mais cet incident

---

1. Cf. plus haut, page 56.
2. Il est vrai que l'Empereur s'était tourné aussi vers les autres patriarches, comme Nicolas le Mystique le mentionne dans sa lettre 32, mais, de toute évidence, il ressort de cette lettre que lui-même, Nicolas, ainsi que l'Empereur considéraient l'appel à Rome et l'intervention des légats comme capitaux. (*P.G.*, 111, col. 200, 201, 204, 205, 206, 212.)

lui-même montre du moins que les deux Églises étaient
toujours en bons termes. C'est ce qui apparaît également en 933, lorsque Jean XI, à la demande de Romain II
(959-963), envoya des légats à Constantinople pour sanctionner l'élévation, au trône patriarcal, de Théophylacte,
le fils de l'Empereur, qui n'avait alors que seize ans.

Ces deux incidents montrent aussi que la papauté, en
raison de la situation désolante qui régnait en Italie par
suite de la décadence de l'Empire carolingien, protecteur
de Rome, par suite aussi des intrigues de la noblesse
romaine qui faisait et défaisait les papes à volonté, était
redevenue dépendante des empereurs byzantins.

Cette situation changea en 962 quand Otton Ier devint
empereur et restaura l'idée de l'Empire romain d'Occident ; il acquit dès lors une influence directe sur l'élection
des papes. C'était le signe que les nouvelles nations
d'Occident, qui n'avaient pas vécu sous le gouvernement
direct de l'ancienne Rome et à qui l'idée d'un Empire
universel gouverné par un empereur romain résidant
dans la nouvelle Rome était étrangère, commençaient à
revendiquer leur part dans le gouvernement du monde
chrétien [1].

Combien ces nouveaux venus comprenaient peu l'idée
de l'Empire universel en laquelle l'on croyait encore fermement à Byzance, un incident survenu en 968 le montre
bien. Cette année-là, Otton Ier envoya un Lombard qui
savait le grec, Liutprand de Crémone, à l'empereur
Nicéphore Phocas, pour lui demander la main d'une
princesse byzantine pour son fils, le futur empereur.
Le pape Jean XII, en recommandant l'ambassadeur à

---

1. La réaction des Byzantins à cette « intrusion » des empereurs germaniques
dans les affaires romaines et l'élection des papes fut violente. Pendant la période
de décadence de l'Empire carolingien les Byzantins regagnèrent une certaine
influence sur les élections papales. La lutte entre les deux partis de l'aristocratie
romaine, l'un favorisant les Francs, l'autre préférant l'influence byzantine,
envenima les relations de l'Orient et de l'Occident pendant toute la seconde
moitié du xe siècle. Quand, par exemple, le pape Boniface VII, que soutenaient
les Byzantins, fut chassé de Rome et dut se réfugier à Byzance (974), les Byzantins manifestèrent leur mécontentement en « dégradant » le patriarcat de Rome,
ayant à sa tête un pape qu'ils ne reconnaissaient pas, et en le plaçant à la dernière place dans une de leurs listes des patriarcats et des évêchés. Cf. H. GELZER,
Texte der Notitiae episcopatuum, Abhandlungen der Bayerischen Akad. (Munich,
1901), p. 569. La « notitia » doit être datée de 974-976.

l'Empereur, appela Nicéphore « empereur des Grecs ».
On ne pouvait faire affront plus cuisant aux Byzantins
qui se disaient Romains. Le rapport que fit Liutprand [1]
sur son ambassade montre également combien ces nouvelles nations connaissaient mal Byzance et sa mentalité.

Cependant, en 972, l'incident se trouva liquidé quand
l'empereur Jean Tzimiscès (969-976) consentit au
mariage de sa nièce Théophano avec Otton II. Le fils
de celui-ci, Otton III, élevé par les soins de sa mère
grecque, semblait devoir ouvrir une étape nouvelle dans
les relations entre l'Orient et l'Occident. Une princesse
byzantine, qu'Otton III devait prendre pour épouse,
était déjà en route pour Rome, quand, brusquement,
arriva la nouvelle de la mort du jeune empereur (1002) [2].

*
* *

Pendant le pontificat des papes germaniques, qui
avaient été installés par les Ottons et par Henri II, des
innovations étrangères aux Byzantins furent introduites
à Rome. La plus importante fut l'introduction du
Filioque qui fut inséré officiellement dans le *Credo* de
Nicée [3]. Il semble que le pape Serge IV (1009-1012) ait
envoyé à Byzance, avec sa synodique de prise de possession, comme il était habituel de le faire, sa profession
de foi avec l'addition du *Filioque*. Cela, évidemment,
provoqua un refus de la part du patriarche Sergius II,
et le nom du pape ne fut pas inscrit dans les diptyques
byzantins, listes où figuraient les noms qui devaient être
commémorés pendant le service divin. Il est possible
que ce soit à partir de ce moment que les Byzantins
cessèrent l'ancienne pratique d'inscrire le nom des
patriarches romains dans leurs diptyques. Cet incident

---

1. Cf. *De legatione Constantinopolitana*, publié dans les *Monum. Germaniae histor. Scriptores*, vol. 3, pp. 347-363. Cf. aussi son *Antapodosis, ibid.*, pp. 273-339.
2. Cf. F. DVORNIK, *The Making of Central and Eastern Europe*, Londres, 1949, pp. 95-185.
3. Cf. J. A. JUNGMANN, *Missarum solemnia*, Vienne, 1948, pp. 578 ss. sur le chant du *Credo* pendant la messe à Rome. L'évolution semble en avoir été lente. L'usage d'ajouter le *Filioque* paraît n'être devenu général qu'après 1014.

fut regardé plus tard par certains comme le commencement du schisme. Nicétas de Nicée, lui, qui écrivait,
au XIe siècle, un traité sur le schisme grec, parle d'une
rupture qui aurait eu lieu sous Sergius, mais il avoue en
ignorer la raison [1].

Néanmoins, ce n'était pas encore la négation de la
primauté romaine de la part de Byzance ni, à vrai dire,
le commencement du schisme. Sans doute, depuis la fin
du Xe siècle les deux Églises n'avaient plus beaucoup
de points de contact, mais elles n'étaient pas encore des
ennemies. Pourtant, l'éloignement entre les deux mondes
grandissait. Les Occidentaux comprenaient de moins
en moins le concept byzantin d'un Empire chrétien
universel, et en Occident se généralisait l'idée que seul
l'empereur couronné par le pape à Rome était le véritable
successeur des Césars. L'existence d'un empereur romain
à Constantinople était presque tombée dans l'oubli.

Malgré tout, aussi longtemps que Byzance conservait
des possessions en Italie du Sud, elle restait près de
Rome, malgré son refus et l'incapacité où elle était d'y
agir. Aussi longtemps que subsistait, en Italie du Sud,
ce pont entre Byzance et l'Occident, il demeurait possible que les contacts entre Constantinople et Rome
deviennent plus fréquents et plus cordiaux. Malheureusement ce pont, brusquement, fut détruit par la conquête
du territoire byzantin d'Italie par les aventuriers normands [2]. Cet événement devait avoir, pour les relations
entre l'Orient et l'Occident, des conséquences plus
néfastes encore que la destruction, au VIe siècle, du pont
de l'Illyricum par les Avares et les Slaves.

*
* *

Une autre circonstance devait avoir une responsabi-
lité plus grande encore dans l'éloignement qui grandis-

---

1. *P.G.*, vol. 120, col. 717 ss. Cf. F. DVORNIK, *Le Schisme de Photius*, p. 532.
2. Le meilleur ouvrage sur les conquêtes normandes en Italie est celui de
F. CHALANDON, *Histoire de la domination normande en Italie et en Sicile*, 2 vol.,
Paris, 1907.

sait entre les deux Églises. Ce fut la transformation
profonde qui s'opéra dans la chrétienté occidentale à la
suite de l'introduction de certaines coutumes germaniques dans l'organisation ecclésiastique. La conception
que les Germains avaient de la propriété différait fonda-
mentalement de celle des Romains et des Grecs. Ne pou-
vant concevoir la possibilité, pour une institution, de
devenir propriétaire d'une terre ou d'un immeuble, les
nations germaniques continuaient à regarder comme seul
propriétaire d'un immeuble ou d'un édifice celui qui
l'avait fait construire. L'application de cette notion aux
institutions ecclésiastiques fut la cause d'une évolution
révolutionnaire dans la vie de l'Église occidentale. C'est
ainsi que les évêques perdirent la direction administrative
des églises qu'ils n'avaient pas eux-mêmes construites.
Les fondateurs considéraient les églises construites à
leurs frais comme leur propriété et s'arrogeaient même
le droit de nommer les prêtres chargés de leur administration.

Ce système des églises ayant leur propriétaire (« Eigen-
kirchen ») fut même appliqué en France aux abbayes et
aux évêchés. Combiné avec le système féodal, il permit
aux rois de la dynastie ottonienne de transformer
l'Église d'Allemagne en une « Église d'Empire » (« Reichs-
kirche »), totalement dévouée au roi et à l'empereur.

La conséquence de cet état de choses fut qne la chrétienté occidentale devint, au XIe siècle, un agglomérat
d'églises autonomes et nationales, sur lesquelles les
princes prétendaient détenir, comme « rois et prêtres »,
non seulement la direction mais même la possession,
alors que le pouvoir central, la papauté, la véritable
épine dorsale de l'Église, se voyait privée de ses préro-
gatives [1]. Les abus qui en résultèrent — simonie, investiture par des laïcs, mariage des prêtres — furent responsables de la décadence de l'Église d'Occident au
Xe siècle.

Cela provoqua une réaction. Malheureusement, cette
réaction — un mouvement réformateur — ne naquit

---

1. Cf. A. FLICHE, *La Réforme grégorienne*, Paris, 1924, vol. 1, pp. 17 ss.

pas à Rome, au centre de la chrétienté, mais aux confins de la France et de l'Empire, en Lorraine et en Bourgogne, où les interventions de l'empereur ou du roi n'étaient pas à craindre [1]. Les réformateurs ne voyaient, comme unique remède, que le relèvement de la puissance et de l'influence de la papauté, afin de libérer l'Église de l'emprise étouffante du pouvoir laïc. Le principe était bon. Concernant la propriété des églises, les réformateurs remettaient en honneur la vieille notion du droit romain selon laquelle une personne morale a la capacité de posséder des terres ou des immeubles.

Malheureusement, les réformateurs ne connaissaient pas la situation particulière des Églises orientales, et ils voulurent naturellement étendre partout le droit d'intervention directe de la papauté, même en Orient où les Églises jouissaient d'une grande autonomie pour régler leurs affaires intérieures selon leurs coutumes. En voulant étendre le célibat qu'ils avaient renforcé en Occident, ils oubliaient les usages de l'Orient où les prêtres étaient mariés. Ils oubliaient aussi qu'en Orient, il n'y avait pas d'églises appartenant à des laïcs, et qu'une réforme en ce domaine n'était donc pas nécessaire. En prêchant l'obéissance à Rome et en renforçant l'observance des coutumes romaines, ils ne se rendaient pas compte que l'Orient avait des usages et des rites différents.

Un incident survenu en 1024 montre bien le danger pour les relations entre les deux Églises qui pouvait naître de l'ignorance que l'on avait de la mentalité byzantine dans les milieux réformateurs. Raoul Glaber, un moine bénédictin qui séjourna dans plusieurs monastères, notamment à Dijon sous |l'Abbé Guillaume et à Cluny sous l'Abbé S. Odilon, rapporte dans sa chronique que les milieux réformateurs s'agitèrent beaucoup lorsqu'ils apprirent « que les Byzantins voulaient injustement obtenir que Rome reconnaisse leur suprématie ». C'est ainsi qu'il intitule le chapitre dans lequel il raconte

---

[1]. Ce mouvement réformateur ne doit pas être confondu avec la réforme monastique qui est sortie de Cluny. Cf. mon étude *National Churches and Church Universal*, Londres, 1943, pp. 33 ss.

ce qui s'était passé [1]. C'est probablement de cette façon que les réformateurs interprétaient l'intention des Byzantins. Cependant, même selon Glaber, la chose n'avait pas été aussi scandaleuse qu'on avait voulu le dire. D'après lui, « vers l'année du Seigneur 1024, le patriarche de Constantinople, ainsi que son empereur Basile et quelques autres Grecs, avaient décidé d'obtenir du Pontife de Rome l'autorisation pour l'Église de Constantinople d'être appelée 'universelle' dans toutes les parts de territoire qui lui étaient échues, de même que l'Église de Rome l'était dans le monde entier ».

Que faut-il penser de cette information ? Il est vraisemblable que l'empereur Basile II (976-1025) ait fait une démarche auprès du pape Jean XIX (1024-1032), en vue de mettre fin à la longue controverse sur la position des deux sièges dans la hiérarchie. A cette époque, il était à l'apogée de son pouvoir. Après avoir arrêté la progression des Turcs en Asie Mineure et soumis la Bulgarie, il envisageait de reconquérir la Sicile qui était aux mains des Arabes et d'étendre aussi son influence sur l'Italie centrale. Un rapprochement avec le pape ne pouvait que faciliter ses plans. Au fond, il ne s'agissait que de rééditer les ordonnances de Justinien II, de Phocas et de Justinien Ier. Si l'on en croit Raoul Glaber lui-même, les Grecs étaient prêts à reconnaître le pouvoir suprême du siège romain sur toute l'Église, et même sur Constantinople. L'intervention des réformateurs — l'Abbé Guillaume avait adressé au pape une lettre fort acide — semble avoir intimidé le pape — pour qui, d'ailleurs, Glaber n'a pas beaucoup d'estime. Et cette dernière tentative d'entente est restée vaine.

* *

Avec l'élection du pape Léon IX (1049-1054), neveu de l'empereur Henri III, favorable à la réforme, le mouve-

---

1. *Historiarum libri quinque*, livre 2, ch. 1, *P.L.*, 142, col. 671 ; Hugues de Flavigny, *Chronicon*, *P.L.*, 154, col. 240-241. Cf. V. Grumel, « Les préliminaires du schisme de Michel Cérulaire ou la question romaine avant 1054 », dans *Revue des Études byzantines*, 10 (1952), pp. 18-20.

ment réformiste s'implanta aussi à Rome. Le pape avait amené avec lui quelques-uns des plus zélés réformateurs, notamment Humbert, qu'il nomma cardinal, et Frédéric de Lorraine, qui devint chancelier de l'Église romaine. Les réformateurs étendirent leur activité sur l'Italie du Sud, dans le territoire byzantin où se trouvaient des communautés grecques et latines. S'appuyant sur les privilèges accordés par la *Donatio Constantini* [1] — ce faux document était devenu un des arguments les plus « décisifs » pour l'extension du pouvoir papal —, le pape voulut étendre son influence directe sur toute l'Italie. Il revendiqua même la Sicile, un territoire considéré comme byzantin mais occupé par les Arabes, et y nomma un archevêque. Il convoqua un synode à Siponto, en 1050, où furent votés un grand nombre de décrets en vue de propager la réforme. Quelques-uns de ces décrets étaient dirigés contre les usages liturgiques grecs qui s'étaient implantés en Italie. Le clergé réformateur se livra alors à une activité intense dans toutes les provinces, y compris l'Apulie, un territoire byzantin.

Les Grecs commençaient à s'inquiéter. Le patriarche Michel Cérulaire (1043-1058) [2], un homme ambitieux et hautain, qui n'aimait pas les Latins, répondit par des contre-mesures. Puisque les Latins manifestaient leur intention de remplacer, en Italie, la liturgie grecque par le rite latin, il ordonna à tous les établissements latins de Constantinople d'adopter le rite grec sous menace de fermeture. A l'adresse des Grecs d'Apulie, le patriarche demanda à Léon, archevêque d'Ochrida, de composer un traité défendant le rite grec et s'en prenant aux usages latins.

---

1. Sur la *Donatio* et son utilisation par les Grecs au xiie siècle, voir la bibliographie donnée par F. Dölger, *Byzanz und die europäische Staatenwelt*, pp. 107 ss. La *Donatio* était déjà connue à Byzance au xe siècle.
2. Voir E. Amann, « Michel Cérulaire », dans le *Dict. de théol. cathol.*, Paris, 1929, vol. 10, col. 1683-1684. Cf. aussi A. Michel, *Humbert und Kerullarios*, 2 vol., Paderborn, 1924-1930. Cf. aussi V. Grumel, « Les préliminaires du schisme de Michel Cérulaire ou la question romaine avant 1054 », dans *Revue des Études byzantines*, 10 (1952), pp. 5-24, et P. L'Huillier, « Le schisme de 1054 », dans le *Messager de l'exarchat du patriarche russe en Europe occidentale*, 5 (1954), pp. 144-164.

Léon envoya sa fameuse lettre [1] à l'évêque latin de
Trani, en territoire byzantin, dans laquelle il critiquait
les pratiques latines, en particulier l'usage du pain azyme
pendant la messe. Il est intéressant de noter qu'il n'y
mentionne pas le *Filioque*. Cette lettre fut mise en cir-
culation à un très mauvais moment. Elle répandait des
griefs antilatins en Apulie, au moment où, en raison de
la progression des Normands qui menaçaient le territoire
papal et byzantin, une alliance militaire et politique
entre le pape et Byzance s'imposait. Pour se gagner la
population latine, l'empereur Constantin IX Mono-
maque (1042-1055) avait appointé, comme gouverneur
du territoire byzantin, un Latin, Argyros, qui négocia
avec le pape un pacte dirigé contre les Normands [2]. Cela
avait d'ailleurs contribué à accroître l'animosité du
patriarche, car Argyros était son ennemi personnel. Malheureusement, l'armée papale et byzantine fut défaite
par les Normands en juin 1053, et le pape fut fait
prisonnier.

Entre-temps, Humbert, sur l'invitation du pape,
avait composé, en réponse à la lettre de Léon d'Ochrida,
un long traité plein de critiques et d'invectives contre
les usages grecs. Ce traité ne fut pas adressé à Constantinople, parce que, dans l'intervalle, l'Empereur
avait envoyé une nouvelle ambassade pour conclure
une alliance antinormande et avait aussi persuadé le
patriarche d'adresser au pape une lettre amicale. Le
pape décida alors d'envoyer Humbert, Frédéric de
Lorraine et Pierre d'Amalfi comme légats à Constantinople. Humbert prépara une autre réponse aux attaques
de Léon. Elle était plus courte, mais elle restait malheureusement toujours extrêmement peu diplomatique,
surtout en raison des circonstances. Il voulait y enclore
presque tout ce qu'il avait dit dans son traité. Le
patriarche ne pouvait que s'en montrer offensé, car le

---

1. Rééditée dans *P.G.*, 120, col. 836 ss.
2. Sur cette question voir J. GAY, *L'Italie méridionale et l'Empire byzantin
de 867 à 1071*, Paris, 1904, pp. 450-472. Cf. aussi D. M. NICOL, « Byzantium
and the Papacy in the Eleventh Century », dans *The Journal of Eccles. History*,
13 (1962), pp. 1-20.

cardinal exprimait des doutes sur la légitimité de son
élection, doutes qu'il ne justifiait pas. Il s'élevait aussi
contre l'emploi du titre « œcuménique ». Cela violait,
disait-il, les droits d'Alexandrie et d'Antioche qui
avaient la préséance sur Constantinople en raison de
leur lien avec l'Apôtre Pierre. Ce titre usurpait aussi un
droit qui revenait à Rome, la mère de tous les sièges.
L'argument pétrinien était donc de nouveau lancé
contre le siège de Constantinople.

Le patriarche, qui s'attendait à une lettre amicale en
réponse à sa propre missive, courte mais polie, fut surpris et soupçonna des intrigues de la part de son ennemi
Argyros. Offensé par l'attitude d'Humbert qu'il estimait
arrogante, il refusa de poursuivre la négociation avec
les légats, déclarant qu'ils n'étaient pas les envoyés du
pape, mais les envoyés d'Argyros.

Espérant qu'avec l'aide de l'Empereur, et probablement encouragé par Argyros, il pouvait faire déposer le
patriarche, Humbert passa à l'offensive. Il publia une
première et longue lettre, traduite en grec, à la manière
d'un pamphlet contre le patriarche. Dans sa dispute
avec le moine Nicétas Stéthatos, qui avait écrit un traité
pour défendre les usages grecs attaqués par le cardinal,
c'est encore Humbert qui aborda lui-même la question
du *Filioque*. Aux critiques des usages latins que contenait le traité du moine grec, il répondit d'une façon
passionnée et offensante [1]. Cependant, l'Empereur qui
était soucieux qu'un accord soit conclu avec le pape,
obligea Nicétas à réprouver ses écrits et à s'humilier
devant Humbert.

Les pamphlets et les lettres d'Humbert révélèrent
pour la première fois aux Byzantins les principes des
réformateurs. Jusqu'alors, ils ne s'étaient pas rendu
compte des changements qui s'étaient opérés dans la
mentalité de l'Église romaine. A le dire franchement,

---

1. Cf. les écrits d'Humbert contre les Grecs dans *P.L.*, vol. 143, col. 744-769
(parmi les lettres de Léon), 929-1004. Une nouvelle édition de l'écrit de Nicétas
a été donnée par A. Michel dans son ouvrage *Humbert und Kerullarios*, vol. 2,
pp. 322-342.

ils ne les comprenaient pas. Si nous considérons l'évolution byzantine concernant la papauté et sa position
dans l'Église, nous devrons reconnaître que l'extension
de l'autorité absolue et directe du pape sur tous les
évêques et les fidèles, prêchée par les réformateurs, était,
pour la mentalité byzantine, en contradiction avec la
tradition qui était familière à Byzance. Cette extension
conduisait à l'abolition de l'autonomie de leurs Églises.
Quant aux usages liturgiques des Byzantins, ils étaient
considérés comme suspects, sinon condamnés. C'est
pourquoi l'argument qu'Humbert, pour appuyer ses
thèses, tirait de la *Donatio Constantini* n'impressionna
pas les Byzantins.

Ils trouvèrent particulièrement offensante la manière
d'agir des légats, si bien que, au lieu de se tourner contre
le patriarche comme Humbert l'espérait, tout le clergé
se rangea à ses côtés. Ce qu'Humbert leur disait était
beaucoup trop nouveau pour eux, et la critique qu'il
faisait des usages grecs irritait leurs sentiments patrio-
tiques. Humbert perdit patience et, bien qu'il eût appris
la mort du pape, il composa la fameuse lettre d'excommunication contre le patriarche, il la déposa sur l'autel
de Sainte-Sophie et quitta la ville.

La bulle d'excommunication composée par Humbert
montre nettement à quel point la mentalité de l'Église
romaine avait changée sous l'influence des réformateurs
et combien ceux-ci comprenaient peu l'Église orientale
et ses coutumes. Humbert découvrait chez elle le vestige
de toutes les grandes hérésies, il lui reprochait sa simonie
— alors que ce n'était pas en Orient mais dans l'Église
occidentale que la simonie était florissante —, il condamnait ses prêtres mariés, leurs barbes et leurs longs che-
veux, il accusait même les Byzantins d'avoir supprimé
du *Credo* le *Filioque*, montrant par là son ignorance de
l'histoire de l'Église [1].

---

1. Voici ce que dit M. JUGIE à propos de cette bulle dans son livre *Le Schisme
byzantin*, Paris, 1941, pp. 205-206 : « A tout point de vue, ce geste théâtral était
regrettable : regrettable, parce qu'on pouvait se demander si les légats, alors
que le Saint-Siège était vacant, étaient dûment autorisés à prendre une mesure
aussi grave ; regrettable, parce qu'inutile et inefficace... ; regrettable surtout

Le contenu de la bulle choqua profondément non seulement le patriarche, mais aussi l'Empereur. L'agitation qui s'ensuivit parmi le peuple obligea l'Empereur à abandonner ses efforts de pacification et à convoquer le synode permanent. Celui-ci condamna la bulle dont l'exemplaire fut brûlé en public, et il excommunia les légats que l'on disait envoyés par Argyros.

C'est ainsi que l'ambassade, qui devait conclure une alliance entre Byzance et la papauté, se termina par une rupture tragique. Les légats, en particulier Humbert, étaient gravement responsables. Cependant la correspondance de Michel Cérulaire avec Pierre, patriarche d'Antioche, nous révèle que Cérulaire, lui aussi, était à blâmer. En même temps, cette correspondance nous apprend combien l'éloignement entre Byzance et Rome avait progressé. On peut y voir aussi que Cérulaire avait des idées préconçues et inexactes sur l'Église romaine et ses usages [1].

* *
*

Cependant, comme Cérulaire ne s'était pas tourné contre le pape ou contre l'Église latine comme telle, comme les légats n'avaient excommunié que le patriarche et ses sectateurs, on ne peut pas dire que la primauté romaine avait été rejetée par Byzance et que le schisme existait déjà entre les deux Églises. De nouvelles négociations en effet furent entamées sous les pontificats de Victor II, d'Étienne IX et, en 1072, d'Alexandre II. Mais la question normande rendait les négociations plus pénibles et l'entente plus difficile.

Sur l'invitation d'Alexandre II, S. Pierre Damien composa un traité sur les erreurs des Grecs [2], qu'il dédia à un patriarche — il est difficile de savoir de quel

---

par le contenu même de cette sentence et le ton sur lequel elle était libellée. Elle reprochait à Cérulaire et à ses partisans, et indirectement un peu à tous les Byzantins, à côté des griefs fondés, toute une série d'hérésies et de crimes imaginaires. » Jugie donne aussi une traduction française de la bulle.

1. Voir cette correspondance dans *P.G.*, 120, col. 751-819.
2. *P.L.*, 145, col. 633-642.

patriarche il s'agit — qui avait demandé aux Latins d'expliquer leur doctrine suivant laquelle le Saint-Esprit procède du Père et du Fils. Dans ce traité Damien exprime sa satisfaction de voir que le patriarche s'est adressé non à n'importe qui, mais directement à S. Pierre, pour obtenir l'explication de la doctrine latine. Il identifie le pape avec l'Apôtre « à qui Dieu lui-même daigna dévoiler ses secrets ». Après avoir cité le fameux passage de Mat., 16, il poursuit : « Le Créateur du monde a choisi celui-là avant tous les autres mortels de la terre entière et lui a donné, en vertu d'un privilège perpétuel, la chaire du magistère suprême, afin que tout homme, désirant connaître quelque chose de divin ou de profond, se tourne vers l'oracle et la doctrine de ce précepteur. » Damien explique ensuite de façon irénique la doctrine catholique sur le *Filioque*.

Cette définition de la primauté du pape pouvait être acceptée par les Grecs. S. Pierre était toujours vénéré dans l'Église byzantine qui lui vouait un très grand respect [1], et ses successeurs à Rome étaient toujours considérés comme les premiers maîtres dans les affaires doctrinales. Bien que la démarche du patriarche et la réponse de Damien ne semblent pas avoir eu de résultats tangibles, cet incident montre du moins qu'il était toujours possible, même après 1054, de discuter de façon irénique et sereine, sur les différences qui existaient entre les deux Églises.

Chose curieuse, il semblait au départ que les négociations entamées par l'empereur Michel VII avec le pape Grégoire VII (1073-1085) étaient de nature à rapprocher de nouveau les deux Églises. L'Empire byzantin était en grand danger après le désastre de Manzikert. Les Turcs occupaient une grande partie de l'Asie Mineure et menaçaient la partie Est de l'Empire. Tout cela avait incité l'Empereur à se tourner vers le pape pour lui

---

1. Cf. ce qu'en dit J. MEYENDORFF dans son étude « S. Pierre, sa primauté et sa succession, dans la théologie byzantine », dans *La primauté de Pierre dans l'Église orthodoxe*, Neuchâtel, 1960, pp. 96 ss. Cf. aussi son article « St. Peter in Byzantine Theology », dans *St. Vladimir Seminary Quarterly*, vol. 4, New York, 1960, pp. 26-48.

demander son aide militaire, lui promettant en retour
de renouer les contacts amicaux avec Rome.

Le pape répondit par une lettre cordiale où il exprimait sa satisfaction de ce rapprochement. Il pensait
réunir une armée pour venir en aide à Constantinople
et l'accompagner en personne. Malheureusement, l'appel
de Grégoire aux princes — il s'était même adressé à
l'empereur Henri IV — en vue d'aider Constantinople
n'eut pas l'effet escompté [1]. Bientôt le violent conflit qui
opposa Henri IV et la nouvelle idéologie papale sur la
supériorité du spirituel sur le temporel, obligea le pape
à chercher aide et protection auprès des Normands,
les ennemis acharnés de Byzance. Bien entendu, cette
alliance du pape avec les Normands mit fin à toute possibilité d'entente avec Byzance. Et la mémoire de
Grégoire VII fut particulièrement détestée des Byzantins, si l'on en croit ce qu'Anne Comnène dit de lui [2].

On peut se demander si Grégoire fut plus heureux
dans ses rapports avec Byzance que ne l'avait été
Léon IX. Il suffit de lire ses *Dictatus papae* [3] pour
se rendre compte de l'énorme distance qui séparait
désormais l'Orient et l'Occident, depuis que les idées des
réformateurs avaient été complètement développées et
étaient appliquées aux relations du *sacerdotium* et de
l'*imperium*. On a même l'impression que Grégoire, en
composant ce document, avait également en vue certaines prétentions de Byzance. La déclaration que le
titre « universel » appartient exclusivement au pape
semble l'indiquer. De même la demande que le nom du
pape soit seul partout mentionné dans la liturgie, et que
le titre « papa » soit uniquement réservé à l'évêque de
Rome. C'est également le pape seul qui doit confirmer
les décisions des synodes.

1. Voir l'édition de E. Caspar, *Das Register Gregors VII*, *Monum. Germ.
Hist.*, Epistolae selectae, Berlin, 1920, pp. 29 (lettre à Michel), 70, 75 (appel aux
princes), 167 (lettre à Henri IV), 173.

2. Anne Comnène, *Alexiade*, éd. et traduit par B. Leib, Paris, 1937, vol. 1,
pp. 47, 48, 50, 52.

3. Publié par E. Caspar, *op. cit.*, pp. 202-208. Cf. H. X. Arquillière,
Saint Grégoire VII, Paris, 1934, pp. 130 ss. Cf. l'étude de J. T. Gilchrist,
« Canon Law Aspects of the Eleventh Century Gregorian Reform Programme »,
dans *The Journal of Ecclesiastical History*, 13 (1962), pp. 21-38.

Ces demandes soulevaient de nombreuses objections chez les Byzantins. Par ailleurs, il était impossible aux Byzantins d'accorder au pape le pouvoir de déposer un empereur, de délier ses sujets de l'obéissance qui lui était due, même s'il manquait à ses devoirs ; il leur était impossible d'accorder au pape le droit de porter les *insignia* de l'empereur, et d'obliger les rois à le saluer en lui baisant les pieds.

Le document publié par Grégoire, qui proclamait la supériorité du pouvoir spirituel sur le pouvoir temporel, détruisait les derniers vestiges de l'Hellénisme chrétien qui restaient encore en Occident. L'Église romaine professait une nouvelle idéologie politique, très différente de celle qui subsistait encore en Orient. Il y avait peu de chances qu'un compromis puisse intervenir entre les deux idéologies.

Il semble cependant que les Byzantins ne se rendaient pas compte encore de ce changement si profond. Ainsi, par exemple, la lettre que le métropolitain de Kiev, Jean II (1080-1089) [1], envoyait à l'anti-pape Clément III semble indiquer qu'il croyait encore à la possibilité d'une entente entre Rome et Byzance. Le métropolitain témoignait d'une attitude très amicale à l'égard de Rome. La primauté ne semblait pas le préoccuper autant que d'autres « abus » qu'il apercevait dans l'Église latine, notamment le *Filioque*. Il exhortait Clément III à entrer en contact avec le patriarche de Constantinople et à travailler à la suppression de ces « abus ».

⋆
⋆ ⋆

L'alliance de Grégoire VII avec les Normands obligea l'empereur Alexis Comnène (1081-1118) à se tourner vers Henri IV [2] et vers son anti-pape. Ce dernier était

---

1. Éd. A. PAVLOV, *Kritičeskie opyty po istorii drevnejšej greko-russkoj polemiky protiv Latinjan*, St. Petersbourg, 1878, pp. 169, 186.

2. Cela lui valut probablement une excommunication de la part de Grégoire VII. Celui-ci, qui était fidèle à Michel VII avec qui il se trouvait en contact, avait, en 1078, excommunié Nicéphore III Botaniatès qui avait déposé Michel VII. C'étaient les premières applications des stipulations des *Dictatus papae*. Cf. E. CASPAR, *op. cit.*, pp. 400, 401, 524.

déjà entré en contact avec Constantinople quand le successeur de Grégoire VII, Urbain II, envoya ses légats à l'Empereur. Celui-ci, se rendant compte probablement que Henri IV ne pouvait pas lui être d'une grande utilité, entra en pourparlers avec Urbain II. Il espérait que le pape pourrait maintenir les Normands loin de Byzance.

Nous apprenons tout cela par les Actes d'un synode qui avait été convoqué par l'Empereur en 1089 [1]. L'Empereur, qui le présidait, déclara que le pape était prêt à rétablir l'harmonie entre Rome et Byzance, mais qu'il se plaignait que le nom des papes ait été supprimé dans les diptyques de Constantinople. Il demanda aussi s'il était intervenu une décision canonique autorisant la rupture avec Rome. Les prélats déclarèrent qu'il n'y en avait pas. Mais, puisque des différences importantes existaient dans les coutumes des deux Églises, il était nécessaire qu'elles soient supprimées avant d'inscrire le nom du pape dans les diptyques.

C'est alors que le patriarche Nicolas III (1084-1111) demanda au pape d'envoyer, pour commencer, sa profession de foi à Constantinople, comme cela se faisait chaque fois qu'un nouveau pape adressait à Constantinople sa lettre d'intronisation. Si cette profession de foi était satisfaisante, son nom serait inscrit dans les diptyques. Ensuite, dans les dix-huit mois, un synode devrait se réunir à Constantinople où, en présence du pape ou de ses envoyés, on discuterait des différences qui existaient entre les deux Églises.

Il semble bien que le pape était tout prêt à se rendre à Constantinople et que même le prince normand Roger Guiscard l'y encourageait [2]. Nous n'avons malheureusement pas assez de renseignements pour pouvoir décider si le pape a vraiment envoyé la lettre que lui demandait

---

1. Publié par W. Holtzmann dans son étude « Unionsverhandlungen zwischen Kaiser Alexios I. und Papst Urban II. im Jahre 1089 », dans *Byzantin. Zeitschrift,* 28 (1928), pp. 38-67 (pp. 60-62). Cf. aussi V. Grumel, *Les Régestes des Actes du patriarcat de Constantinople,* Paris, 1947, vol. 1, fasc. 3, p. 48.

2. Cela est confirmé par Godefroi Malaterra dans son *Historia Sicula, P.L.,* 149, col. 1192.

le patriarche, et si son nom a été inscrit dans les diptyques.

Deux documents de la même époque nous révèlent les
difficultés qui barraient la route à un renouvellement de
rapports plus cordiaux. L'un est la lettre de Basile,
métropolitain de Reggio en Calabre, qui avait dû quitter
son poste, expulsé par les Normands, lorsqu'il avait
refusé, après la conquête, de se soumettre à la juridiction
du pape. Envoyé auprès du pape avant la convocation
du synode par le patriarche, il avait rencontré Urbain II
au synode de Melfi où il avait eu avec lui une entrevue
pénible. La lettre, pleine d'amertume, qu'il adressa à
Nicolas III a la fin de 1089, est chargée d'accusations
portées contre le pape, les Normands et les Latins en
général [1]. Elle nous révèle les sentiments des Grecs que
les Normands obligeaient à quitter la Calabre et qui
voyaient leurs sièges occupés par des prélats latins. Le
pape revendiquait de nouveau ses droits sur l'Italie
autrefois byzantine, qui lui avaient été enlevés par
l'empereur iconoclaste Léon III en 732-733 [2]. Et les
Byzantins, naturellement, en éprouvaient du ressen-
timent.

L'autre document est la lettre envoyée par Nicolas III
à Syméon II, patriarche de Jérusalem [3]. Cette lettre
nous apprend que le pape Urbain II s'était également
tourné vers les autres patriarches en leur faisant la
même requête qu'à l'Empereur. Syméon avait communiqué cette demande du pape à son collègue de Constantinople, Nicolas III. La réponse de celui-ci nous le
montre très préoccupé des « erreurs » des Latins, en
particulier des azymes et du *Filioque*. Il cite les arguments habituels contre ces « erreurs », et il discute aussi

---

1. Voir W. Holtzmann, *op. cit.*, pp. 64-66.
2. Sur ce problème voir M. V. Anastos, « The Transfer of Illyricum, Calabria
and Sicily to the Jurisdiction of the Patriarchate of Constantinople in 732-733 »,
dans *Silloge Bizantina in onore di S.G. Mercati*, Studi Bizantini e neoellenici, 9
(Rome, 1957), pp. 14-31.
3. Publiée par A. Pavlov, *Kritičeskie opyty...*, pp. 158-169. Voir V. Grumel,
« Jérusalem entre Rome et Byzance. Une lettre inconnue du patriarche de
Constantinople Nicolas III à son collègue de Jérusalem », dans *Échos d'Orient*,
38 (1939), pp. 104-117.

les citations de l'Écriture par lesquelles le pape entendait prouver son droit à la primauté dans l'Église. Il ne refuse pas au pape une certaine primauté. « Il fut un temps, écrit-il, où le pape était le premier d'entre nous, lorsqu'il avait les mêmes sentiments et les mêmes pensées que nous. Maintenant qu'il a des sentiments contraires, comment serait-il appelé le premier ? Qu'il montre donc l'identité de sa foi, et il recevra alors la primauté... Mais, s'il ne le fait pas, il ne recevra jamais ce qu'il demande de nous. »

Cette lettre avait été envoyée avant le synode de 1089. Le patriarche se radoucit par la suite, mais le ton et le contenu de cette lettre montrent combien le souvenir de 1054 était encore vivace à Byzance. Malgré cela, les négociations semblent avoir continué, et l'entente entre Rome et Byzance paraissait toujours possible.

⁎
⁎ ⁎

Ce fut de nouveau un archevêque d'Ochrida, Théophylacte, qui fut invité à se prononcer sur les « erreurs » des Latins. Il le fit dans un court traité [1] et son jugement surprend par sa modération et ses intentions charitables. Il déclare que les différences de rite et les coutumes religieuses ne sont pas tellement importantes et ne devraient pas conduire à un schisme. On devrait les considérer avec les yeux de la charité chrétienne. Il trouve même des excuses au *Filioque*. Cette formule s'est développée parce que la langue latine manquait d'une terminologie théologique suffisante. Il admet l'usage du pain azyme par les Latins, pour la raison que l'Écriture ne mentionne pas de quel pain on s'est servi pendant le repas pascal. Ainsi donc, conclut-il, que chaque Église conserve ses usages et ne fasse pas reproche à l'autre d'avoir des usages différents des siens.

Ce qui est important, c'est l'accord concernant la vraie foi. Si l'on trouvait chez les Occidentaux « une erreur ébranlant la doctrine des Pères, comme c'est le

---

1. *Liber de iis quorum Latini accusantur*, P.G., 126, col. 221-249.

cas pour l'addition dans le Symbole en ce qui concerne le Saint-Esprit — là est le plus grand danger —, ceux qui ne rejetteraient pas cette erreur, estimant qu'elle mérite d'être corrigée, ceux-là seraient indignes du pardon, même s'ils parlaient du haut de ce trône qu'ils présentent à tous comme le plus sublime, même s'ils mettaient en avant la confession de Pierre et la bénédiction qui y est attachée, même s'ils agitaient devant nos yeux les clefs du royaume. Pour autant qu'ils croient honorer Pierre par ces clefs, ils le déshonorent s'ils détruisent ce qu'il a établi, et s'ils arrachent les fondements de l'Église qu'il est supposé soutenir ».

Nous avons cité ce passage car il renferme tout ce que Théophylacte, dans son traité, dit de la primauté romaine. Ces paroles comportent un sous-entendu ironique, mais elles montrent que Théophylacte acceptait la thèse pétrinienne par laquelle les papes défendaient leur primauté. Cela est important. Tout le traité surprend par le désir qu'on y sent d'une entente cordiale entre les deux Églises. Pour lui, la primauté ne paraît pas être un obstacle aussi sérieux que le *Filioque*.

Théophylacte parle également de S. Pierre dans son commentaire sur les Évangiles. En commentant Mat. 16, 18 [1], il souligne le fait que c'est sur Pierre que le Seigneur a fondé son Église. La confession de Pierre est le fondement sur lequel s'appuient tous les croyants. « Puisque cela nous a été affirmé dans la confession du Christ, comment les portes de l'enfer, c'est-à-dire les péchés, pourraient-elles nous subjuguer ? » Les clefs du ciel n'ont été remises qu'à Pierre, mais tous les évêques ont les mêmes pouvoirs de lier et de délier les péchés.

Il est plus éloquent lorsqu'il commente le passage de Luc, 22, 32-33 [2]. « 'Lorsque tu te seras ressaisi, affermis tes frères'. Cela veut dire évidemment : Puisque je t'ai fait le chef des disciples, lorsque tu auras pleuré et que tu te seras repenti de m'avoir renié, affermis les autres. C'est ainsi qu'il te convient d'agir, toi qui es, après moi,

---

1. *P.G.*, 123, col. 320.
2. *P.G.*, 123, col. 1073 CD.

la pierre et le fondement de l'Église. Il faut bien penser que ceci, qu'ils seraient affermis par Pierre, ne vaut pas seulement pour les Apôtres du temps du Seigneur, mais pour tous les fidèles jusqu'à la consommation des siècles. Car c'est toi, Pierre,... qui étais Apôtre et qui as renié, mais qui as de nouveau, par ton repentir, obtenu la primauté de l'univers... »

Dans son commentaire de Jean, 21, 15 [1], Théophylacte écrit : « C'est à Pierre, non à un autre mais à lui seul, que le Seigneur a confié la présidence sur toutes les brebis de l'univers. » Plus loin, il dit : « Il a confié à Pierre la présidence sur tous les fidèles. Si Jacques a obtenu le trône de Jérusalem, Pierre, lui, a obtenu celui de l'univers. » Théophylacte n'établit pas ici un lien direct entre Pierre et ses successeurs, mais ce qu'il dit de Pierre est significatif. Il comprenait bien l'argument pétrinien de la primauté romaine.

*   *
*

C'est dans cette atmosphère plus calme que se prépara la première croisade, cette magistrale entreprise de la chrétienté occidentale. L'empereur Alexis Ier avait arrêté la progression des Turcs en Asie Mineure mais, comme l'Empire avait tout de même perdu une grande partie de cette province et que c'était là qu'en majorité se recrutait l'armée, l'Empereur se tourna vers l'Occident pour trouver du recrutement. Il semble qu'il ait été en pourparlers avec le pape à ce sujet, puisque Anne Comnène écrit dans son *Alexiade* [2] que l'Empereur, en 1091, attendait un détachement de soldats venant de Rome. En 1095, les envoyés impériaux s'adressèrent au synode que le pape avait convoqué à Plaisance, invitant les chrétiens d'Occident à aller au secours de leurs frères orientaux pour combattre les infidèles qui occupaient les Lieux saints chers à toute la chrétienté.

---

1. *P.G.*, 124, col. 309 A-313 A.
2. *Alexiade*, 8, éd., B. Leib, vol. 2, p. 139. Cf. Holtzmann, *Die Unionsverhandlungen... op. cit.*, pp. 38-67. Sur Alexis Ier, voir aussi F. Chalandon, *Les Comnènes*, vol. 1 : « Essai sur le règne d'Alexis Ier Comnène », Paris, 1900.

Il semble que ce furent cette harangue et les pourparlers avec l'Empereur qui suggérèrent au pape l'idée
d'inviter les fidèles réunis à Clermont, quelques mois
plus tard, à libérer les Lieux saints des mains des infidèles. Le résultat fut surprenant, la noblesse française
répondit avec enthousiasme à l'exhortation du pape.
Mais, dans la pensée du pape, cette première croisade
n'avait pas seulement pour but d'aider les Grecs dans
leur lutte contre les Turcs et de libérer Jérusalem. Elle
était intimement liée, pour lui, à l'idée de l'union des
deux Églises. Il est probable qu'il s'était mis d'accord
avec l'Empereur et qu'ils espéraient tous les deux que la
collaboration de la chrétienté d'Orient et d'Occident et
le sang versé en commun sur les champs de bataille
allaient sceller pour toujours l'union des deux Églises [1].

On pouvait croire, au début, que leurs espoirs allaient
se réaliser. Après la conquête d'Antioche, les croisés
réinstallèrent le patriarche grec dans sa cité. Les relations
du légat du pape, Adémar du Puy, et du patriarche
Syméon II de Jérusalem, avant la conquête de la Ville
sainte, étaient des plus cordiales. Le pape lui-même, au
synode de Bari de 1098 [2], discutait avec les Grecs d'Italie
et de Byzance la question de l'union, et il décidait de
convoquer un autre synode à Rome, l'année suivante,
pour y continuer les pourparlers.

Malheureusement, le pape mourut la même année,
avant d'avoir pu nommer un autre légat en remplacement d'Adémar, décédé en 1098. La politique égoïste de
Bohémond, un des chefs croisés, a tout gâté. Bien qu'on
eût promis de rendre à l'Empereur toutes les villes qui
avaient appartenu à l'Empire, Bohémond décida de garder Antioche pour lui et sa famille. L'Empereur tenait
tant à la possession de ce centre stratégique important
qu'il fit tout pour récupérer cette cité, au besoin par les
armes. C'est à Antioche qu'on put apercevoir les premiers

---

1. Sur l'histoire des croisades, voir R. GROUSSET, *Histoire des croisades*, 3 vol.,
Paris, 1934-1936 ; S. RUNCIMAN, *A History of the Crussades*, 3 vol., Cambridge,
1951-1953.

2. Cf. B. LEIB, *Rome, Kiev et Byzance à la fin du XIe siècle*, Paris, 1924,
pp. 287-297.

signes du schisme, lorsque, en 1100, un patriarche latin
y fut installé. A partir de cette année-là, les patriarches
grecs d'Antioche continuèrent, en exil, à résider à
Constantinople.

Par ailleurs, le contact de l'armée des croisés, mal disci-
plinée, avec la population locale eut des résultats désastreux pour l'entente entre les deux Églises. Les différences qui existaient entre les deux civilisations se
trouvèrent révélées au grand public. Les déprédations
subies par la population au passage des croisés rendirent
générale dans tout l'Empire la méfiance qu'on avait à
l'égard des Latins. Les Grecs considéraient les Latins
comme des barbares et des sauvages, et les Latins,
eux, tenaient les Grecs pour responsables des désastres
essuyés par leurs armées, bien que ce fût la plupart du
temps de leur faute, car ils négligeaient les conseils que
les Grecs leur donnaient [1].

Et cependant, malgré tout, il était encore possible de
discuter de manière pacifique les différences existant
entre les deux Églises et la question de la primauté
romaine, même à Constantinople. Le débat que l'évêque
Anselme de Havelberg [2] put avoir dans la capitale en
1136 est très intéressant à ce point de vue [3]. Naturellement Anselme était tout pénétré des idées des réformateurs sur la primauté romaine. Il fondait cette primauté
sur les paroles adressées à S. Pierre (Mat., 16, 18-19) et

---

1. Les résultats désastreux que le heurt des croisés et de la population indigène
eut pour l'union ont été illustrés par S. Runciman dans son livre *The Eastern
Schism*, Oxford, 1935, pp. 124 ss. Cf. aussi B. Leib, *op. cit.*, pp. 236-275, 302-307
(Guibert de Nogent).

2. Voir les deux nouvelles études sur Anselme :Kurt Fina, « Anselm von
Havelberg. Untersuchungen zur Kirchen - und Geistesgeschichte des 12. Jhts. »,
dans *Analecta Praemonstratensia*, 32 (1956),33 (1957), 34 (1958), et G.Schreiber
« Anselm von Havelberg und die Ostkirche », dans *Zeitschrift für Kirchengeschichte*, 60 (1941), pp.354-411. Sur les discussions que les Grecs et les Latins
eurent au xiie siècle sur les problèmes religieux, spécialement sur le *Filioque*,
voir P. Classen, « Das Konzil von Konstantinopel 1166 und die Lateiner »,
dans *Byzantinische Zeitschrift*, 48 (1955), pp. 339-368 ; M. Anastos, « Some
Aspects of Byzantine Influence on Latin Thought », dans *Twelfth Century Europe*,
éd. par M. Cladett, G. Post, R. Reynolds (Wisconsin, 1961), pp. 131-187 (Sur
Hugo Eterianus et Nicétas de Nicomédie, pp. 140-149). D'après V. Grumel,
« Notes d'histoire et de littérature byzantines », dans *Échos d'Orient*, 29 (1930),
p. 336, la discussion eut lieu les 2 et 3 octobre 1154.

3. *Dialogi*, livre 3, *P.L.*, 188, col. 1213 ss. (ch. 5-6).

sur le fait que Pierre avait prêché et était mort à Rome
avec S. Paul. Utilisant l'argument pétrinien de S. Léon
le Grand, il n'admettait que trois sièges principaux dans
la primitive Église, ceux de Rome, d'Alexandrie et
d'Antioche, parce qu'ils avaient été fondés par Pierre
et son disciple Marc. L'Église de Pierre était toujours
restée fidèle à la vraie foi, et elle avait pour mission,
selon les paroles du Seigneur (Luc, 22, 32), de confirmer
dans la vraie foi toutes les autres Églises. L'Église de
Constantinople, au contraire, n'était que la pépinière
de toutes les hérésies, qui avaient même souillé les autres
Églises orientales. C'est pourquoi toutes ces Églises
devaient vénérer l'Église romaine et suivre ce qu'elle
proposait.

La réponse de son contradicteur Nicétas, évêque de
Nicomédie, fut très digne. Voici ses paroles concernant
la primauté romaine [1] : « Je ne dénie pas et je ne rejette
pas la primauté de l'Église romaine dont tu m'as vanté
l'excellence. Nous lisons en effet, dans nos histoires
anciennes, qu'il y avait trois sièges patriarcaux liés dans
la fraternité, Rome, Alexandrie et Antioche, parmi lesquels Rome, le siège le plus élevé de l'Empire, a reçu
le primat. C'est pourquoi Rome a été appelée le premier
siège, et c'est à elle qu'il fallait faire appel dans les causes
ecclésiastiques douteuses, c'est à son jugement qu'il
fallait soumettre ce qui ne pouvait se comprendre selon
les règles communes.

« Mais l'évêque de Rome lui-même ne devrait pas être
appelé prince du sacerdoce, ni prêtre suprême ou quelque
chose de semblable, mais seulement évêque du premier
siège. C'est ainsi que Boniface III, de nationalité romaine,
fils de Jean, évêque de Rome, a obtenu de l'empereur
Phocas (confirmation) que le siège apostolique du bienheureux Pierre était la tête de toutes les Églises, puisque,
à ce moment, l'Église de Constantinople se disait la
première en raison du transfert de l'Empire.

« Pour s'assurer que tous les sièges professaient la
même foi, (Rome) envoyait des délégués auprès de cha-

---

1. *Ibid.*, col. 1217 ss. (ch. 7-8).

cun d'eux — peut-être Nicétas pense-t-il aux délégations
qui portaient les lettres d'intronisation et la profession
de foi qui y était jointe — ; ils devaient veiller à la pré-
servation de la vraie foi. Lorsque, en raison du transfert
de la capitale, Constantinople obtint la deuxième place
dans la hiérarchie, cette coutume de la délégation lui
fut également étendue.

« Cela, mon très cher frère, se trouve consigné dans les
histoires anciennes. Mais l'Église romaine, à qui nous ne
refusons pas la primauté parmi ses sœurs, à qui nous
reconnaissons, comme présidente au concile général, la
première place d'honneur, s'est elle-même séparée, par
suite de ses prétentions, lorsqu'elle s'est emparée de la
monarchie qui ne relevait pas de son office et qu'elle a
divisé, après le partage de l'Empire, les évêques et les
Églises de l'Orient et de l'Occident. Lorsque, par suite
de ces circonstances, elle réunit un concile avec ses
évêques occidentaux sans que nous-mêmes y soyons, il
est juste que ses évêques en acceptent les décrets et les
observent avec la vénération qui leur est due... Mais
nous, bien que nous ne soyons pas en désaccord avec
l'Église romaine dans la foi catholique, comment pour-
rions-nous, puisque nous ne tenons pas de conciles en
même temps qu'elle, accepter des décisions qui ont été
prises sans notre avis, et même dont nous ne savons
rien ?

« Si le pontife romain, siégeant sur le trône sublime de
sa gloire, veut fulminer contre nous et nous lancer des
ordres du haut de sa sublimité, s'il veut juger nos
Églises, non selon notre conseil, mais selon son propre
arbitre, comme il le désire, quelle fraternité, et même
quelle paternité pourrait-il y avoir en cela ? Qui pourrait
jamais accepter une telle chose ? Car alors nous ne
pourrions plus être appelés, et même nous ne serions
plus des fils de l'Église, mais de véritables esclaves. »

Si l'autorité du pape devait être telle qu'Anselme la
présente, à quoi serviraient alors l'Écriture, les études,
la sagesse grecque ? S'il en est ainsi, que le pape reste
tout seul l'évêque et le maître. « Mais, s'il veut avoir des
collaborateurs dans la vigne du Seigneur, qu'il demeure

dans l'humilité de son primat et ne méprise pas ses frères ! La vérité du Christ nous a fait naître dans le sein de l'Église non pour la servitude mais pour la liberté. »

En confirmation de ses dires, Nicétas citait Jean, 20, 23 et Mat., 16, 19, les paroles par lesquelles le Seigneur avait remis le pouvoir de remettre les péchés, de lier et de délier, à tous les Apôtres sans exception. Anselme, tout en reconnaissant cette observation, faisait remarquer, avec raison, que le Seigneur s'était aussi adressé à Pierre seul, et il soulignait le rôle prépondérant que Pierre avait joué parmi les Apôtres et dans l'Église primitive.

Quant à la discussion sur le rôle joué par les évêques orientaux et par les papes dans la suppression des hérésies, Nicétas la terminait par la déclaration suivante [1] : « Nous possédons ici, dans les archives de Sainte-Sophie, le récit des hauts faits des pontifes romains, nous possédons les Actes des conciles où se trouve décrit tout ce que tu as dit sur l'autorité de l'Église romaine. C'est pourquoi ce serait une grande honte de notre part si nous voulions nier ce que nous voyons de nos yeux, écrit par nos Pères. Mais vraiment, il faut aussi reconnaître que ni le pontife romain, ni ses légats n'auraient eu une part dans la condamnation des hérésies en Orient, si les évêques orthodoxes établis en Orient ne les avaient pas accueillis, aidés et encouragés. Ce sont eux qui, pleins de zèle pour la foi, ont condamné les hérésies et confirmé la vraie foi catholique, quelquefois avec l'Église romaine, et quelquefois sans elle. »

Les paroles de Nicétas illustrent bien la position tenue par l'Église byzantine. On voit que les Orientaux continuaient à préférer le principe d'accommodement au principe d'apostolicité. Ils cherchaient plutôt les raisons de la primauté romaine dans les décisions des conciles et des empereurs. Nicétas, cependant, ne nie pas l'argument scripturaire (Mat., 16, 18-19), utilisé par Anselme. En rappelant les paroles par lesquelles Notre Seigneur

---

1. *Ibid.*, ch. 12, col. 1228.

avait donné aux Apôtres un pouvoir similaire à celui de Pierre, il soulève un problème qui n'a pas encore été résolu de façon définitive par l'Église romaine, celui de la relation entre le plein pouvoir accordé aux successeurs de Pierre et les pouvoirs accordés aux évêques.

Anselme, s'inspirant de l'idéologie des réformateurs, est allé trop loin en ne demandant pas seulement la reconnaissance de la primauté de l'Église romaine — le principe n'en était pas nié, nous l'avons vu —, mais aussi l'acceptation de toutes les pratiques liturgiques propres à l'Occident, en particulier l'abandon du pain fermenté dans la célébration de la messe. On comprend que les Orientaux défendaient leurs usages particuliers et leur autonomie en ce domaine. Il est regrettable que, des deux côtés, on ait oublié les recommandations faites par le concile de 879-880, à savoir que chaque Église devait conserver ses coutumes propres, et qu'il n'y avait pas lieu de se quereller à propos de ces différences. Il est assez étonnant de constater, étant donné toutes ces circonstances, que, durant la première moitié du XIIe siècle, les Byzantins reconnaissaient encore, en dépit de ce qui était arrivé en 1054 et ensuite, le principe de la primauté romaine dans l'Église.

Dans ce même ordre d'idées, nous pouvons encore citer la déclaration du plus fameux des canonistes byzantins, Zonaras [1], qui composa son œuvre canonique dans la première moitié du XIIe siècle. Expliquant le canon XXVIII de Chalcédoine, il montre avec insistance que les mots attribuant à Constantinople les mêmes avantages qu'à l'ancienne Rome ne doivent pas s'entendre comme si la primauté avait été transmise de Rome à Constantinople. La préposition *après* signifie un rapport de dignité, et non un rapport de succession dans le temps. Pour prouver que son interprétation est la bonne, il cite un passage de la Profession de foi du patriarche Nicéphore [2] où celui-ci parle de la condam-

---

1. *P.G.*, 137, col. 488-489.
2. Voir plus haut, page 92.

nation des iconoclastes : « Qu'ils soient rejetés de l'Église catholique, nous en trouvons le sage témoignage et la confirmation dans les lettres qui ont été envoyées par le très saint et bienheureux pontife de l'ancienne Rome, c'est-à-dire du premier siège apostolique. »

CHAPITRE VIII

LA CATASTROPHE DE 1204
ET SES CONSÉQUENCES

La catastrophe de 1204. — Nouvelle attitude des théologiens grecs. — Les apôtres comme docteurs universels dans la polémique contre la primauté. — Le pape, devenu hérétique, a perdu la primauté. — Nouvelle interprétation de Mat., 16, 18-19 ; Barlaam, Cabasilas. — Syméon de Thessalonique et l'auteur anonyme. — Conclusion.

Les empereurs s'efforçaient de maintenir de bonnes relations avec la papauté. Les papes, eux, pressés par Henri V et Frédéric Barberousse, n'étaient pas défavorables à des ouvertures venant de Byzance. Les empereurs Alexis, Jean II et Manuel [1] proposaient même l'idée d'un empire romain et se montraient prêts à l'union, à condition que les papes reconnaissent l'empereur byzantin comme le seul véritable empereur. Manuel Comnène (1143-1181) était particulièrement enclin à conclure une alliance avec la papauté, étant lui-même favorable aux Latins [2].

Tous ces projets firent naufrage sur le roc de la nouvelle conception politico-religieuse de la papauté. Animés par l'idée grégorienne de la supériorité du spirituel sur le temporel, les papes étaient surtout soucieux de main-

---

1. Pour plus de détails, voir F. CHALANDON, *Les Comnènes*, vol. 2 : Jean II Comnène et Manuel Ier Comnène, Paris, 1912. Cf. aussi W. NORDEN, *Das Papsttum und Byzanz*, Berlin, 1903, pp. 88 ss.
2. Cf. V. GRUMEL, « Au seuil de la IIe croisade. Deux lettres de Manuel Comnène au pape », dans *Revue des études byzantines*, 3 (1945), pp. 143-167.

tenir leur domination sur l'Empire d'Orient et d'Occident et sur les principautés latines en Orient. Ils ne pouvaient accepter la suprématie de l'Empereur d'Orient, car l'Hellénisme chrétien que professaient les Byzantins était depuis longtemps oublié en Occident.

Par ailleurs, les tentatives des empereurs byzantins rencontraient une opposition de plus en plus vive de la part du clergé et de la population qui, de l'expérience acquise au contact des croisés, avait appris à haïr les Latins. Ils ne comprenaient pas les nouvelles conceptions de la papauté et rejetaient ses idées de domination universelle.

Le résultat de cette évolution fut, en 1182, le massacre, par la populace grecque, des Latins résidant à Constantinople [1]. Ce grave accident provoqua une réaction antigrecque en Occident. L'idée, déjà suggérée par Bohémond, se généralisa, que le seul moyen, pour que les croisades réussissent, était la conquête de Constantinople et le remplacement de l'empereur grec par un empereur latin. Cela se réalisa en 1204, à l'occasion de la IVe croisade. Les scènes d'horreur qui se déroulèrent dans la ville, après l'entrée victorieuse des Latins, n'ont jamais été oubliées par les Byzantins. Cette évolution tragique fut scellée par l'installation d'un patriarche latin à Constantinople, et le schisme toucha à son sommet.

* *

Ce n'est qu'après la conquête de Constantinople par les Latins que les Byzantins comprirent tout le développement qu'avait atteint l'idée de la primauté romaine. La nomination pure et simple d'un patriarche par le pape, la désignation des évêques sans la consultation des synodes et sans la confirmation par l'Empereur furent pour eux des expériences auxquelles ils ne s'atten-

---

1. En réponse, les marins des navires latins attaquèrent la population de la ville. De plus, en 1185, Guillaume II, roi de Sicile, qui s'était emparé de la ville de Thessalonique, massacra une grande partie de la population.

daient pas. S'ils n'ignoraient point que cela se passait
ainsi en Occident, ils ne pensaient pas qu'une chose
pareille puisse arriver dans leur Église.

Mieux que les autres écrits contemporains, un court
traité anonyme [1] nous révèle le désespoir des Grecs après
la conquête. Le traité est intitulé « Pourquoi les Latins
l'ont-ils emporté sur nous ». L'auteur déplore la spoliation
des églises par les croisés, le remplacement des prêtres
grecs par des prêtres latins ; il proteste tout spécialement
et de façon véhémente contre la désignation du Vénitien
Thomas Morosini comme patriarche de Constantinople.
Dans ses lamentations on sent percer la haine contre les
Latins. L'auteur de ce traité est aussi allé plus loin que
tous les autres polémistes grecs en ce qui concerne la
primauté du pape. Il la nie purement et simplement, et
il nie même la primauté que S. Pierre est censé avoir
eue dans le cercle des Apôtres.

Cette catastrophe de la prise de Constantinople par
les Latins n'eut pas seulement des conséquences sur la
vie religieuse et politique des Byzantins, elle influença
profondément toute la spéculation théologique grecque
concernant la primauté. L'orientation générale eut,
évidemment, un caractère négatif. Dans leurs discussions avec les Latins et dans leurs écrits polémiques, les
théologiens grecs rejetèrent la conception latine de la
primauté telle qu'elle s'était brusquement révélée à leurs
yeux. Cependant, malgré l'hostilité qu'ils nourrissaient
contre tout ce qui était d'origine latine, ils n'osaient pas
aller aussi loin que l'auteur du traité anonyme. Il y avait
des faits qu'ils se sentaient obligés de respecter. Ils
conservaient tout d'abord une vénération pour S. Pierre [2]

---

1. Publié par ARSENIJ, *Tri staty neizvestnago grečeskago pisatelja načala XIII
veka* (trois articles d'un écrivain grec inconnu du début du XIII° siècle), Moscou,
1892, pp. 84-115.
2. Pour plus de détails, voir M. JUGIE *Theologia dogmatica*, vol. 4, pp. 320-348.
Cf. aussi *La primauté de Pierre*, études par A. Afanassieff, N. Koulomzine,
J. Meyendorff, A Schmeman, Neuchâtel, 1960. L'étude de J. Meyendorff est la
meilleure. Cf. aussi E. STEPHANOU, « La primauté romaine dans l'apologie
orthodoxe », dans *Échos d'Orient*, 30 (1931), pp. 212-232, et surtout D. T. STROT-
MANN, « Les coryphées Pierre et Paul et les autres Apôtres », dans *Irenikon*,
1963, pp. 164-176. L'auteur y examine les titres que les textes des offices byzantins donnent à Pierre et Paul.

qu'ils continuaient, de façon générale, à appeler le coryphée des Apôtres et dont ils admettaient la primauté.
Ensuite, ils reconnaissaient les décisions des conciles
concernant la situation des patriarches, les décisions du
concile de Nicée, celles du premier concile de Constantinople, et celles, naturellement, du concile de Chalcédoine. Ils admettaient enfin les décisions des empereurs,
en particulier celles de Justinien qui, à plusieurs reprises,
avait confirmé la première place occupée par l'évêque
de Rome dans la hiérarchie. Aussi les citations de l'Évangile que produisaient les Latins pour prouver la primauté
du successeur de Pierre et qui avaient tellement impressionné certains théologiens grecs du passé n'étaient-elles
pas sans leur créer un embarras qu'ils auraient aimé
surmonter.

*
* *

A l'exception de l'auteur anonyme, presque tous les
polémistes grecs du xiie et du xiiie siècle continuèrent
de donner à Pierre le titre honorifique de coryphée.
Pourtant, le patriarche Jean Camatéros (1198-1206)
rappelle, dans sa lettre au pape Innocent III, que Paul
était aussi appelé « Vase d'élection » (Act., 9, 15), et que
Jacques présidait au concile de Jérusalem [1]. L'Église a
pour fondement les Apôtres et les Prophètes (Eph., 2,
20), et il ne faut pas oublier que la pierre d'angle est le
Christ lui-même.

Cette priorité du Christ sur Pierre est soulignée encore davantage par un patriarche inconnu de Constantinople dans sa lettre au patriarche de Jérusalem. Il y
déclare simplement que la Tête de l'Église, c'est le
Christ, et il se refuse à dire que la Tête de l'Église est le
pape, comme veulent l'imposer les Latins [2].

Pour affaiblir les conclusions que les Latins tiraient du

----

1. Cette lettre n'a pas encore été publiée. Elle se trouve dans le Ms. *Paris.
graecus* 1302 (xiiie s.), fol. 272ᵛ-273ᵛ. La lecture en est très difficile. Quelques
extraits concernant la primauté ont été publiés par M. Jugie, *Theologia dogmatica christianorum orientalium*, vol. 4, Paris, 1931, pp. 341-342.
2. Éd. A. Pavlov, *Kritičeskie opyty, op. cit.*, pp. 164-165.

fait que le pape était le successeur de Pierre, les théologiens grecs renouvelèrent la thèse suivant laquelle les Apôtres étaient les Docteurs de l'univers et ne pouvaient être considérés comme les évêques d'une ville [1]. Le premier évêque de Rome n'était pas Pierre, mais Lin qui avait été ordonné par Pierre.

Cet argument fut utilisé de façon plus explicite par Nicolas Mésaritès dans la dispute qui eut lieu en août 1206 en présence du patriarche Thomas Morosini [2]. A son avis, rattacher Pierre à Rome seulement est une pratique judaïque. Il faut interpréter les paroles de Mat., 16, 18, comme se rapportant non pas seulement à l'Église romaine, mais à l'Église universelle.

Un argument semblable fut employé également par son frère Jean au cours d'un débat tenu le 29 septembre de la même année en présence du cardinal Benoît [3]. Jean affirme que les Apôtres remplissaient une mission œcuménique et qu'ils avaient ordonné les soixante-dix disciples comme évêques des différentes villes.

Le patriarche Germain II (1222-1240), dans une de ses lettres aux Chypriotes [4], déclare, lui aussi, que la seule primauté est celle du Christ, et il accuse les Romains de dirimer, par leur attitude, la pentarchie ecclésiastique. L'auteur anonyme du traité intitulé « Contre ceux qui disent que Rome est le premier siège », attribué injustement à Photius, reprend l'argumentation de Mésaritès [5].

En exploitant l'idée que les Apôtres étaient Docteurs universels et ne pouvaient être considérés comme les

---

1. Jean CAMATÉROS, *Paris. gr.* 1302, fol. 272*bis* ; l'anonyme, éd. Arsenij, pp. 107, 111 ; la lettre du patriarche de Jérusalem, éd. A. PAVLOV, p. 165.

2. A. HEISENBERG, « Neue Quellen zur Geschichte des lateinischen Kaisertums und der Kirchenunion », dans *Sitzungsber. der Bayr. Akad.*, Phil. hist. Kl., 2 (1923), pp. 22-24. Pour plus de détails, voir l'étude de R. JANIN, « Au lendemain de la conquête de Constantinople. Les tentatives d'union des Églises (1204-1208 ; 1208-1214) », dans *Échos d'Orient*, 32 (1933), pp. 5-20, 195-202. Cf. aussi V. GRUMEL, « Le patriarcat byzantin, de Michel Cérulaire à 1204 », dans *Revue des Études byzantines*, 4 (1946), pp. 257-263.

3. Éd. A. HEISENBERG, *op. cit.*, 1 (1922), pp. 54 ss.

4. *P.G.*, 140, col. 616 C-617 A.

5. Éd. M. GORDILLO, « Photius et primatus romanus », dans *Orientalia christiana periodica*, 6 (1940), pp. 5-39. Cf. F. DVORNIK, *Le Schisme de Photius*, pp. 187 ss. ; IDEM, *The Idea of Apostolicity*, pp. 247-253.

évêques des différentes villes, les polémistes grecs perdirent l'habitude d'utiliser, au profit de Constantinople,
la tradition suivant laquelle ce siège avait été fondé par
André, le premier à avoir été invité par le Christ et à
introduire Pierre auprès du Seigneur. Il n'y a plus, en
effet, que Mésaritès qui a essayé d'exploiter cet argument et l'auteur anonyme du pamphlet contre la primauté romaine qui l'a suivi.

Cet argument ne trouvait d'ailleurs sa valeur qu'en
liaison avec l'argument pétrinien. Il fournissait aux
Grecs une réponse contre les Latins qui, autrefois, se
servaient de l'argument pétrinien comme de l'arme la
plus puissante pour s'opposer aux prétentions de Constantinople. Si les Latins fondaient la primauté de Rome
sur le fait que Pierre y avait séjourné, Antioche avait
plus de droit encore à prétendre à la primauté, puisque
Pierre y avait prêché avant même de venir à Rome.
Quant à Jérusalem, elle pouvait aussi réclamer la primauté, et cela d'autant plus légitimement que le Seigneur
lui-même y avait prêché et y était mort. On voit donc,
à la lumière de cette argumentation, que les Grecs n'atta-
chaient pas une bien grande importance au fait qu'un
évêché avait été fondé par un Apôtre [1].

*　*
*

Cependant, en dépit de toute l'amertume que les
Grecs conservaient contre Rome après 1204, ils ne pouvaient ignorer la tradition de l'accommodement de
l'organisation ecclésiastique à la division politique de
l'Empire. Elle avait été sanctionnée par trois conciles
et par les décrets de Justinien, et elle donnait à Rome la
première place dans la hiérarchie ecclésiastique. Les
Grecs continuèrent à se servir de cette tradition pour

---

1. Naturellement, l'idée pentarchique fut également utilisée par de nombreux
polémistes et théologiens comme une arme contre la primauté romaine. Cf.
M. Jugie, *Theologia dogmatica*, vol. 4, pp. 456 ss. Le patriarche Nil (1379-1388),
dans sa lettre à Urbain VI, semble au moins attribuer au pape un primat d'honneur (F. Miklosich-Müller, *Acta patriarchatus Constantinopolitani*, vol. 2,
p. 87). Il parle aussi de la pentarchie (*Ibid.*, p. 40).

nier le caractère divin de la primauté romaine. Cette
primauté n'était pas une mauvaise chose, elle avait été
accordée à Rome en raison de l'importance qu'elle avait
dans l'Empire comme capitale. Le patriarche Michel
d'Anchialos (1170-1177), répondant à l'empereur Manuel
au synode où l'on discutait des possibilités d'union [1],
avait même admis la validité de la *Donatio Constantini*
comme premier document impérial attribuant à Rome
la primauté. Cette primauté, disait-il, resta valide et
fut reconnue aussi longtemps que le pape professa la
vraie foi. Il perdit sa primauté en adhérant à l'hérésie
du *Filioque*.

Michel fut suivi par son contemporain Andronic
Camatéros [2]. Le patriarche inconnu, qui écrivait une
lettre au patriarche de Jérusalem, est également du
même avis lorsqu'il dit que le pape était autrefois le
premier parce qu'il professait alors la même foi. « Que
l'identité de foi soit rétablie, et alors qu'il reprenne sa
primauté [3]. » Il semble que Michel d'Anchialos ait même
voulu transférer cette primauté au siège de Constantinople, le deuxième par le rang des sièges patriarcaux,
puisque le premier siège, celui de Rome, était devenu
hérétique. C'est aussi l'avis du rhéteur Manuel, dans sa
réponse à un religieux dominicain [4].

Jean Mésaritès [5] va plus loin encore. Il admet que le
pape pourrait agir comme juge suprême si quelqu'un,
condamné par un patriarche ou par un synode, faisait
appel à lui. Évidemment, le pape ne peut user de ce
privilège que s'il professe la vraie foi. Ce privilège n'est
cependant pas d'institution divine, mais fondé seulement
sur le droit canonique. Le frère de Jean Mésaritès,
Nicolas, défendit une opinion semblable dans une dispute
qui eut lieu en 1214 [6]. Ces déclarations ont leur impor-

---

1. Voir ce dialogue dans le *Vizantijskij Vremennik*, vol. 14 (1907), pp. 344-357,
publié par Ch. LOPAREV.
2. Cf. J. HERGENRÖTHER, *Photius*, Ratisbonne, 1867-1869, vol. 3, p. 813.
3. Éd. A. PAVLOV, *loc. cit.*
4. Cf. ARSENIJ, *Manuila velikago ritora otvet dominikanu Francisku*, Moscou,
1889, p. 19.
5. A. HEISENBERG, *op. cit.*, I, p. 57.
6. A. HEISENBERG, *op. cit.*, III (1923), pp. 34 ss.

tance. On y retrouve l'écho des déclarations du synode
de 861.

* **

L'interprétation des paroles du Seigneur (Mat., 16, 18)
que donnèrent quelques théologiens de cette époque
fut pleine de conséquences pour le développement de
l'ecclésiologie orthodoxe après 1204. Voici comment le
patriarche inconnu de la lettre adressée à Jérusalem
interprétait ces paroles [1] : « Le Christ est le Pasteur et
le Maître, mais il a transmis le ministère pastoral à
Pierre... Nous voyons cependant aujourd'hui que tous
les évêques possèdent cette même fonction. Par consé-
quent, si le Christ a accordé à Pierre la primauté en lui
donnant la charge pastorale, cette primauté doit être
reconnue de la même façon aux autres, puisqu'ils sont
pasteurs ; et ainsi, ils seront tous premiers. »

Mésaritès, lui aussi, déclare qu'il faut expliquer la
promesse donnée à Pierre (Mat., 16, 18) dans un sens
catholique, « en la rapportant à tous ceux qui ont cru
et qui croient... Toute l'Église trouve son fondement
sur la pierre, c'est-à-dire sur la doctrine de Pierre,
conformément à la promesse [2] ».

Les polémistes antilatins du XIIIe siècle n'ont pas
fourni de système doctrinal concernant la primauté
romaine et l'Église. Néanmoins leurs déductions, souvent improvisées sous la pression des événements, sont
demeurées une base pour la spéculation théologique
grecque des XIVe et XVe siècles. Cette période a produit
plusieurs théologiens de valeur, et leur doctrine sur la
primauté se présente de façon plus systématique.

Ils font tous une distinction très nette entre la fonction
de l'apôtre et celle de l'évêque, redisant, comme leurs

---

1. Éd. A. Pavlov, p. 165. Voir l'étude de J. Meyendorff, « Saint Pierre, sa
primauté et sa succession dans la théologie byzantine », dans *La Primauté de
Pierre dans l'Église Orthodoxe*, Neuchâtel, 1960, p. 104.

2. Mésaritès (éd. Heisenberg, I, pp. 57-58) rejette aussi les canons de Sardique. D'après lui, ces canons sont valables pour l'Occident, mais pas pour
l'Orient. Le traité anonyme édité par Gordillo, *loc. cit.*, pp. 14 ss. est également
très hostile à ce synode.

prédécesseurs, que les Apôtres étaient des Docteurs universels. C'est pourquoi, déclarait Barlaam avant son retour à l'Église romaine, Pierre ne pouvait pas transmettre à Clément son caractère de coryphée des Apôtres, mais seulement à l'épiscopat tout entier. On ne peut, dès lors, considérer l'évêque de Rome comme le coryphée des autres évêques [1]. Barlaam reconnaît au pape une certaine primauté, mais seulement celle qui lui a été accordée par les empereurs, par Constantin — il faut voir sans doute ici une allusion à la *Donatio Constantini* — et Justinien, et par les conciles. Tout évêque qui professe la foi de Pierre est le successeur des Apôtres [2].

Nil Cabasilas réitère les affirmations de Barlaam concernant le caractère de l'évêque de Rome [3]. Mais il va plus loin que Barlaam en reprenant l'interprétation de Mat., 16, 18, donnée par les polémistes. « Le Christ a bâti l'Église sur la profession de Pierre et sur tous ceux qui ont été les gardiens de cette profession. » Ces gardiens, ce sont les évêques qui, ainsi, sont tous les successeurs de Pierre [4]. Le résultat de cette interprétation est clair : l'Église universelle est représentée par les évêques qui, étant tous les successeurs de Pierre et professant sa foi, sont égaux.

*
* *

Syméon de Thessalonique, bien qu'interprétant la succession de Pierre comme une succession dans la vraie foi, se montre le plus explicite de tous les théologiens du xve siècle. Voici ce qu'il dit de la primauté du pape [5] : « Lorsque les Latins disent que l'évêque de Rome est le premier, il ne faut pas les contredire. Cela ne peut nuire à l'Église. Qu'ils nous montrent seulement qu'il persiste dans la foi de Pierre et de ses successeurs et qu'il

---

1. *Contra Latinos*, *P.G.*, 151, col. 1260-1263.
2. Le traité inédit de Barlaam, *Parisinus Graecus* 1218 du xve siècle (belle écriture), fol. 101, 127ᵛ, 130ᵛ, est cité aussi par J. MEYENDORFF, *op. cit.*, p. 109.
3. *De primatu papae*, *P.G.*, 149, col. 704-705.
4. *Ibid.*, col. 708 B.
5. *Dialogus contra haereses*, chap. 22, *P.G.*, 155, col. 120-121.

possède tout ce qui vient de Pierre, et alors il sera le premier, le chef et la tête de tous, le pontife suprême. Car tout cela a été dit des patriarches de Rome dans le passé. Son trône est apostolique, et le pontife qui y siège, aussi longtemps qu'il professe la vraie foi, est appelé le successeur de Pierre. Il n'est personne qui pense et parle bien qui puisse le nier. »

Après avoir rappelé ce que les conciles ont dit sur la place de l'évêque de Rome, il cite ce qu'il a déclaré aux Latins dans une discussion sur la primauté : « Avec les papes Pierre, Lin, Clément, Étienne, Hippolyte, Silvestre, Innocent, Léon, Agapet, Martin, Agathon, et les papes et patriarches similaires, nous sommes en communion dans le Christ, et nous n'avons aucune raison de nous séparer d'eux. Cela est clair, puisque nous célébrons leur mémoire, les appelant docteurs et pères... S'il en vient un autre qui soit semblable à ceux-là par le symbole de la foi, par sa vie, par les mœurs de l'orthodoxie, il sera notre Père commun. Nous le tiendrons pour Pierre, et les chaînes de l'union persisteront pour longtemps et dans les siècles des siècles. » Malheureusement, ajoute-t-il, le pape actuel ne professe pas la foi de Pierre, puisqu'il ajoute le *Filioque* au Symbole, et c'est pourquoi il a perdu la primauté [1].

On découvre dans les paroles de Syméon un accent presque nostalgique, un regret du temps où les papes étaient les défenseurs de la foi, reconnus comme primats et vénérés comme successeurs de Pierre. Les mêmes dispositions semblent animer un auteur inconnu dont j'ai trouvé un traité, très court du reste, à la bibliothèque du Vatican [2]. Il est classé comme un traité sur les conciles, mais il s'agit plutôt d'une lettre écrite au pape

---

1. Gennadios Scholarios, le premier patriarche qui siégea sous le régime turc, réserva plutôt ses efforts à la polémique contre le *Filioque*. Les quelques allusions à la primauté qui apparaissent dans ses écrits se trouvent surtout dans son premier traité sur la Procession (éd. L. Petit - M. Jugie, Paris, 1929, vol. 2, pp. 62-63) et dans une de ses lettres (*ibid.*, vol. 4, 1935, pp. 206-207). Il partage les idées de ses contemporains sur Pierre « évêque et pasteur de l'univers », une distinction que les successeurs de Pierre ne possèdent pas.

2. Vaticanus Graecus 166, fol. 179ᵛ, 180. L'écriture est de la fin du xivᵉ siècle ou du début du xvᵉ.

par un Byzantin. L'auteur souligne le fait que les évêques
de la Rome ancienne ont participé aux sept conciles
généraux qui définirent la foi de la totalité des chrétiens.
« Ces sept conciles œcuméniques et saints, les évêques
successeurs de Pierre, le coryphée des saints et célèbres
Apôtres, les acceptèrent et les agréèrent de façon una-
nime, certains y étant présents en personne *(sic!)*,
s'unissant à ce qui s'y faisait et donnant leur assentiment
à ce qui s'y disait, d'autres y envoyant, pour collaborer
avec les Pères, les gens qui leur étaient le plus proches
et qui partageaient leur opinion, et confirmant tout,
ensuite, de façon ferme et claire du haut de Votre divine
chaire apostolique. » L'auteur anonyme énumère ensuite
tous les papes sous le règne desquels les conciles eurent
lieu, et puis il se prend à déplorer que quelqu'un ait tant
semé de mauvaises herbes à Rome. Après quoi, il énumère les « abus ». Le manuscrit est malheureusement
incomplet. Cette lettre date probablement du XIVe siècle.

On peut voir par ces écrits polémiques que le problème
de la primauté était une des premières préoccupations
des Byzantins, même après que le schisme se trouva
consommé à la suite des malheureux événements mili-
taires et politiques. L'attitude constamment défensive
et négative que les polémistes grecs se crurent obligés
de prendre vis-à-vis des Latins et de leurs prétentions
les empêcha de développer leur propre système ecclésiologique, et de le définir exactement pour l'opposer
au système latin. Il est possible néanmoins de retrouver
dans leurs spéculations un certain nombre de traits
communs. Ainsi, par exemple, ils n'osèrent pas, sauf à
une ou deux exceptions près, nier la primauté de Pierre,
mais ils considéraient tous les évêques comme les successeurs de Pierre. L'Église était bâtie sur le roc de sa
confession et, seuls, ceux qui avaient conservé sa foi
pouvaient être regardés comme ses successeurs. Dieu
donnait sa grâce à toute Église qui avait un évêque ayant
la foi de Pierre et possédant alors la plénitude sacra-
mentelle. La primauté, dont Rome jouissait lorsque les
papes avaient la foi de Pierre, avait été accordée à son
évêque par les conciles et les empereurs.

On peut sans doute découvrir dans certaines de leurs
déclarations une similitude avec ce que Cyprien, Irénée,
et même Origène et le Pseudo-Denys [1] avaient pensé de
la vie de l'Église, mais les polémistes byzantins n'en
avaient pas conscience, car ce n'est pas dans leurs écrits
qu'ils cherchaient leurs arguments. C'était leur hostilité
aux prétentions du clergé latin et l'amertume qu'ils
ressentaient contre les destructeurs de leur Empire qui
les poussaient à rechercher une autre solution au problème qui les obsédait : Comment concilier l'idée de la
primauté avec l'idée de l'Église du Christ ?

* *

Le tableau que nous avons essayé d'esquisser sur le
problème de la primauté romaine à Byzance est loin
d'être complet. Nous nous sommes contentés d'examiner
les témoignages les plus importants et les plus caractéristiques. Il semble néanmoins évident que cette idée
de la primauté à Byzance a subi un profond changement
à partir du xie siècle. C'est certainement la période qui
va du ive au xe siècle qui présente le plus grand intérêt.
La primauté de Rome y était acceptée comme une chose
naturelle, puisque Rome était la capitale de l'Empire et
sa base idéologique. De plus, Rome était la « maison des
Apôtres », de Pierre et de Paul qui y avaient demeuré.
Le Concile de Nicée n'avait pas eu besoin de définir ou
de confirmer cette primauté. Elle était reconnue bien
avant Constantin le Grand, comme un fait qu'il n'était
pas nécessaire de discuter ou d'établir.

Cependant, comme le principe d'accommodement à
la division politique de l'Empire avait été accepté comme
base de l'organisation de l'Église, les Byzantins furent
tentés de faire dériver cette primauté des décisions des
conciles de Nicée, de Constantinople et de Chalcédoine,
et des décrets de Justinien Ier, de Phocas et de Justinien II.

---

1. Cf. J. MEYENDORFF, *Saint Pierre, sa primauté,* op. cit., p. 114.

En Orient où il y avait un grand nombre de sièges fondés par les Apôtres, l'origine apostolique d'un siège n'était pas appréciée à sa juste valeur ; c'est pourquoi il n'était pas facile à la papauté d'amener les Byzantins à accepter l'origine divine de la primauté, en la fondant sur les paroles du Seigneur (Mat., 16, 18-19).

La crise qui fut provoquée par le vote, au concile de Chalcédoine, du canon XXVIII confirmant l'attribution à Constantinople de la seconde place après Rome et plaçant sous sa juridiction trois diocèses civils de l'Empire, et par l'attitude de S. Léon le Grand, doit être attribuée au fait que les Pères avaient omis de mentionner, dans ce canon XXVIII, le caractère apostolique et pétrinien du siège de Rome, quoique ce caractère ait été reconnu par eux pendant et après le concile.

L'effort accompli par les papes pour remplacer, dans l'organisation de l'Église, le principe d'accommodement par celui d'apostolicité eut un certain effet au VIIe siècle, lorsque Byzance commença à attribuer le caractère apostolique au siège de Constantinople, pour la raison qu'elle succédait à Éphèse — un siège apostolique fondé par S. Jean — dans l'administration du diocèse d'Asie. La légende attribuant à l'Apôtre André la fondation du siège de Byzance, qui commença à circuler au VIIIe siècle, s'était également développée sous l'influence de la propagande « apostolique » venant de Rome.

Les nombreuses crises doctrinales survenues à la suite de l'intervention des empereurs dans le domaine réservé au sacerdoce permirent aux Byzantins d'apprécier l'attitude ferme et orthodoxe du siège apostolique de Rome et l'aide qu'il apporta toujours aux défenseurs de l'orthodoxie. Mais la crainte qu'ils avaient de compromettre l'autonomie de leurs Églises empêcha les Orientaux d'accepter les revendications qu'émettaient certains papes — en particulier Gélase, Symmaque et Nicolas Ier — de s'attribuer la juridiction directe et immédiate sur toute l'Église, y compris l'Orient.

Il fallait en arriver à un compromis. On y parvint au IXe siècle sous le patriarche Photius, qui cependant, par une ironie du sort, a toujours été considéré comme un

ennemi acharné de la primauté. Le droit d'en appeler
au pape, droit qui résultait de sa primauté, fut mis en
pratique à Byzance et même reconnu, pour la première
fois, au synode de 861. La tradition romaine qui attribuait la fondation du siège de Rome à S. Pierre seul,
sans qu'il soit parlé de S. Paul, fut enfin acceptée à
Byzance, et les paroles du Seigneur par lesquelles il avait
conféré à Pierre la primauté furent laissées dans l'édition
grecque des lettres papales envoyées au synode de 879-
880. Photius défendait l'autonomie de son Église, mais
il acceptait, avec ses fidèles, la primauté du siège apostolique de Rome.

Il y avait là une bonne base pour l'évolution ultérieure,
à Byzance, du principe de la primauté romaine. Malheureusement, le prestige que Rome y avait acquis au
IXe siècle devait décliner au cours du siècle suivant, qui
fut marqué par la décadence de la papauté [1]. L'influence
que les rois d'Allemagne, après la restauration de l'Empire romain d'Occident, exercèrent sur l'élection des
papes contribua aussi à dévaluer le prestige de la papauté
aux yeux des Byzantins.

Tout cela accéléra l'éloignement qui grandissait entre
l'Église romaine et l'Église byzantine. Comme les
contacts manquaient entre Rome et Byzance, les Orientaux ne se rendirent pas compte du profond changement
qui s'opérait en Occident sous l'influence du mouvement
réformiste venu d'Alsace et de Bourgogne. La conception
de la primauté romaine, telle qu'elle avait été acceptée
à Byzance, bien qu'elle n'y fût jamais définie de façon
claire, ne suffisait plus aux réformateurs. Dans leur zèle
pour élever le prestige de la papauté, ils allèrent plus
loin que Gélase, que Symmaque et que Nicolas. Ils
réclamaient non seulement pour le pape la juridiction
directe et immédiate sur tous les évêques et sur tous les
fidèles, mais aussi, dans leur ignorance des différences
liturgiques et ecclésiastiques qui existaient dans les

---

1. Cette décadence se manifesta aussi dans le domaine des idées. Cf. H. M.
KLINKENBERG, « Der römische Primat im 10. Jahrhundert », dans *Zeitschrift
für Rechtsgeschichte*, Kanon. Abt., 42 (1955), pp. 1-57.

Églises d'Orient, la conformité complète aux usages romains en Orient et en Occident.

Le conflit regrettable qui surgit en l'année 1054 était le résultat de cette évolution différente de l'idéologie ecclésiastique dans les deux mondes. Cependant, bien que cet incident malheureux augmentât la méfiance entre les deux Églises, on ne peut pas dire que ce soit à ce moment que le schisme fut consommé. Les Byzantins ne s'étaient toujours pas rendu compte que l'Occident, en affirmant la supériorité du spirituel sur le temporel, avait définitivement abandonné le système politique de l'Hellénisme chrétien qu'eux-mêmes professaient. On espérait que les croisades allaient sceller l'union à jamais, et on se contentait de discuter des différences entre les deux Églises de façon académique et sans résultats positifs. Les déclarations de Théophylacte d'Ochrida et de Nicétas de Nicomédie montrent bien qu'au fond, à Byzance, on acceptait encore l'idée de la primauté dans le cadre du compromis auquel on était parvenu au IXe siècle.

Malheureusement, les croisades n'eurent pas le résultat qu'on en escomptait. Par leur façon d'agir, les croisés rendirent les Latins très impopulaires parmi les masses de la population grecque, et la destruction de l'Empire byzantin par la prise de Constantinople par les Latins mit fin à toute possibilité d'entente. C'est à partir de ce moment, après 1204, que le schisme fut consommé.

La primauté romaine fut alors niée et rejetée par les Byzantins. Cependant, en dépit de l'attitude hostile des théologiens grecs, on peut voir que le souvenir du passé était encore vivant à Byzance. On rejetait la primauté du pape sous prétexte qu'il était devenu hérétique en acceptant le *Filioque*. Mais Syméon de Thessalonique était tout prêt à lui rendre la primauté s'il abandonnait cette « hérésie ».

Il est très clair que l'argumentation des théologiens grecs après 1204 était chargée des préjugés que l'évolution politique avait fait naître. Il serait tout à fait regrettable que les écrits de ces théologiens et polémistes fussent utilisés comme base par les théologiens

Orthodoxes modernes pour bâtir une « ecclésiologie
Orthodoxe » [1]. Il est également regrettable que les
théologiens occidentaux s'en tiennent à ces écrits pour
juger de la spéculation théologique des Byzantins.

Tout cela n'est pas juste. On ne peut pas construire
une entente sur un matériel périmé, entaché par des
préjugés résultant des erreurs et des injustes traitements
du passé. Si l'on veut, de part et d'autre, travailler
sérieusement à un rapprochement, et peut-être même à
une union, il faut se tourner vers la période qui va du
IVe au XIe siècle. C'est là que l'on pourra trouver une
base pour une entente.

---

1. Quand on parcourt les essais sur l'ecclésiologie Orthodoxe, qui n'ont
d'ailleurs pas tous la même valeur, on s'aperçoit que les théologiens Orthodoxes
modernes semblent d'accord pour affirmer que les problèmes ecclésiologiques
qui se présentent à eux et aux autres théologiens sont loin d'être résolus. Voir
surtout ce qu'en dit G. Florovsky dans son étude « L'Église, sa nature et sa
tâche », dans *L'Église universelle dans le dessein de Dieu* (vol. 1 des Documents
de l'Assemblée d'Amsterdam), Neuchâtel-Paris, 1949, p. 61 ; Idem, « Le Corps
du Christ vivant », dans *La Sainte Église universelle. Confrontation œcuménique*,
Neuchâtel-Paris, 1948, p. 11 ; J. Meyendorff, *L'Église orthodoxe hier et aujour-
d'hui*, Paris, 1960, p. 179 ; P Evdokimov, *L'Orthodoxie*, Neuchâtel-Paris, 1959,
p. 123. Voir l'examen détaillé et irénique des traités ecclésiologiques récents
publié par D. E. Lanne, « Le mystère de l'Église dans la perspective de la
théologie Orthodoxe », dans *Irenikon*, 35 (1962), pp. 171-212.

INDEX

TABLE DES MATIÈRES